Mathemateg TGAU

Y Llyfr Gwaith Haen Uwch

Gyda Llyfr Atebion

CAA
CANOLFAN ASTUDIAETHAU ADDYSG
· ABERYSTWYTH ·

Golygwyd gan Richard Parsons
Addasiad Cymraeg gan Ffion Kervegant a Siôn Williams

Y fersiwn Saesneg:

Cyhoeddwyd gan Coordination Group Publications Ltd

Arlunwaith gan Lex Ward ac Ashley Tyson

Cydlynwyd gan June Hall a Mark Haslam

Cyfranwyr:

Gill Allen

JE Dodds

Mark Haslam

C McLoughlin

Claire Thompson

John Waller

Dylunio, gosodiad ac arlunwaith gwreiddiol © Richard Parsons, 2001

Addasiad Cymraeg

(h) Awdurdod Cymwysterau, Cwricwlwm ac Asesu Cymru, 2002

Mae hawlfraint ar y deunyddiau hyn ac ni ellir eu hatgynhyrchu na'u cyhoeddi heb ganiatâd perchennog yr hawlfraint.

Cyhoeddwyd y fersiwn Cymraeg gan:

Y Ganolfan Astudiaethau Addysg, Prifysgol Cymru, Aberystwyth

gyda chymorth ariannol Awdurdod Cymwysterau, Cwricwlwm ac Asesu Cymru.

Gwefan: www.caa.ac.uk

ISBN 1 85644 609 3

Addasiad Cymraeg gan Ffion Kervegant a Siôn Williams

Golygwyd gan Eirian Jones

Dyluniwyd gan Enfys Jenkins ac Andrew Gaunt

Clawr gan Ceri Jones

Aelodau'r Pwyllgor Monitro: Rhiannon Bill, Arwyn Jones, Gordon Owen

Argraffwyd gan Argraffwyr Cambria, Aberystwyth

Cynnwys

Adran Un — Rhif

Cwestiynau ar Rifau...1
Cwestiynau ar Ddegolion....................................3
Cwestiynau ar Ffactorau a Rhifau Cysefin 4
Cwestiynau ar Ffracsiynau..................................6
Cwestiynau ar Rifau Cymarebol a Rhifau
   Anghymarebol 8
Cwestiynau ar Ganrannau 10
Cwestiynau ar Fotymau'r Cyfrifiannell.................14
Cwestiynau ar Ffactorau Trawsnewid 16
Cwestiynau ar Dalgrynnu 20
Cwestiynau ar Amcangyfrif................................22
Cwestiynau ar Ddilyniannau 24

Adran Dau — Siapiau

Cwestiynau ar Bolygonau Rheolaidd.................28
Cwestiynau ar Arwynebedd................................30
Cwestiynau ar Gyfaint 33
Cwestiynau ar Rwydi......................................36
Cwestiynau ar Locysau a Lluniadau 38
Cwestiynau ar Geometreg 40
Cwestiynau ar Geometreg Cylchoedd 44
Cwestiynau ar Gyflunedd a Helaethiad 46
Cwestiynau ar y Pedwar Trawsffurfiad 48

Adran Tri — Manion

Cwestiynau ar Drionglau Fformiwla 50
Cwestiynau ar Fuanedd, Pellter ac Amser 52
Cwestiynau ar Graffiau Pellter/Amser a Graffiau
   Cyflymder/Amser 54
Cwestiynau ar Ffurf Indecs Safonol 58
Cwestiynau ar Bwerau ac Israddau 60
Cwestiynau ar Pythagoras a Chyfeiriannau...........62
Cwestiynau ar Drigonometreg...........................65
Cwestiynau ar y Rheolau Sin a Cosin 68
Cwestiynau ar Graffiau Sin, Cos a Tan 70
Cwestiynau ar Onglau o Unrhyw Faint 72
Cwestiynau ar Fectorau 74
Cwestiynau ar Fectorau Go Iawn.......................76

Adran Pedwar — Ystadegau

Cwestiynau ar y Cymedr, y Canolrif, y Modd a'r
   Amrediad 78
Cwestiynau ar Debygolrwydd 82
Cwestiynau ar Dablau Amlder..........................86
Cwestiynau ar Amlder Grŵp.............................88
Cwestiynau ar Amlder Cronnus........................92
Cwestiynau ar Graffiau Gwasgariad
   a Histogramau 96
Cwestiynau ar Histogramau a Gwasgariad 100
Cwestiynau ar Ddiagramau Coesyn-Deilen.........102
Cwestiynau ar Gyfresi Amser 103
Cwestiynau ar Amlder (Cymysg) 104
Cwestiynau ar Ddulliau Samplu 106

Adran Pump — Graffiau

Cwestiynau ar Linellau Syth 108
Cwestiynau ar Blotio Llinellau Syth 109
Cwestiynau ar Y = mX + C 112
Cwestiynau ar Blotio Cromliniau 114
Cwestiynau ar Ddatrys Hafaliadau gan
   Ddefnyddio Graffiau 115
Cwestiynau ar Dangiadau a Graddiant 118
Cwestiynau ar Graffiau i'w Hadnabod 121
Cwestiynau ar Hafaliadau o Graffiau 124
Cwestiynau ar Arwynebedd............................127
Cwestiynau ar Raglennu Llinol 128
Cwestiynau ar Drawsffurfio Graffiau 130
Cwestiynau ar Ddefnyddio Cyfesurynnau...........132

Adran Chwech — Algebra

Cwestiynau ar Waith Sylfaenol 133
Cwestiynau ar Ffracsiynau Algebraidd 135
Cwestiynau ar Ddatrys Hafaliadau 137
Cwestiynau ar Aildrefnu Fformiwlâu 139
Cwestiynau ar Anhafaleddau 141
Cwestiynau ar Gyfraneddau Union a Gwrthdro ..143
Cwestiynau ar Ffactorio Hafaliadau Cwadratig ..145
Cwestiynau ar Y Fformiwla Gwadratig...............147
Cwestiynau ar Gwblhau'r Sgwâr 149
Cwestiynau ar Gynnig a Gwella 150
Cwestiynau ar Dwf a Lleihad 152
Cwestiynau ar Hafaliadau Cydamserol 154
Cwestiynau ar Graffiau Hafaliadau Cydamserol..156

1.1 Cwestiynau ar Rifau

C1 Mae Sara'n meddwl am rif. Mae hi'n cyfrifo fod sgwâr y rhif yn 256.
Beth yw ail isradd y rhif?

C2 Trefnodd Mr Harris barti. Prynodd 50 potel o lemonêd oedd yn costio 75c yr un a photeli o sudd oren oedd yn costio 82c yr un. Gwariodd £71.94 i gyd. Sawl potel o sudd oren brynodd Mr Harris?

C3 Mae olwyn yn cylchdroi 20 o weithiau bob munud.
a) Faint o weithiau mae hi'n cylchdroi mewn 2 awr?
b) Faint o amser fydd hi'n ei gymryd i gylchdroi 1000 o weithiau?

C4 Un diwrnod roedd y tymheredd am hanner dydd yn 14°C. Erbyn hanner nos roedd y tymheredd wedi gostwng 17°C. Beth oedd y tymheredd am hanner nos?

[Mae pump o ddilyniannau rhif arbennig y dylech fod yn gyfarwydd â hwy: EILRIFAU, ODRIFAU, RHIFAU SGWÂR, RHIFAU CIWB a RHIFAU TRIONGL.]

C5 Y rhif un yw'r odrif cyntaf. Hwn hefyd yw'r rhif sgwâr cyntaf, y rhif ciwb cyntaf a'r rhif triongl cyntaf.
a) Pa un yw'r mwyaf: y trydydd odrif, y trydydd rhif sgwâr neu'r trydydd rhif ciwb?
b) Ysgrifennwch ffactorau cysefin y trydydd rhif triongl.

C6 Mae'r dilyniannau canlynol yn cael eu disgrifio mewn geiriau. Ysgrifennwch bedwar term cyntaf pob un ohonynt.
a) Y rhifau cysefin gan gychwyn o 17.
b) Sgwariau odrifau gan gychwyn o $9^2 = 81$.
c) Y rhifau triongl gan gychwyn o 15.

Cofiwch - nid yw 1 yn rhif cysefin.

C7 Gan ddefnyddio unrhyw rai neu bob un o'r ffigurau **1, 2, 5, 9** ysgrifennwch:
a) y rhif cysefin lleiaf
b) rif cysefin mwy na 20
c) rif cysefin rhwng 10 a 20
d) ddau rif cysefin sy'n adio i roi 21
e) rif nad yw'n rhif cysefin

C8 a) Yn y sgwâr deg wrth ddeg gyferbyn rhowch gylch o amgylch pob <u>rhif cysefin</u>. (Mae'r tri cyntaf wedi eu gwneud yn barod.)
b) O'r rhifau cysefin rhwng 10 a 100 darganfyddwch dri sy'n dal i fod yn rhifau cysefin pan fydd eu digidau yn cael eu cildroi.
c) Rhowch reswm pam nad yw 27 yn rhif cysefin.

1	②	③	4	⑤	6	7	8	9	10
11	12	13	14	15	16	17	18	19	20
21	22	23	24	25	26	27	28	29	30
31	32	33	34	35	36	37	38	39	40
41	42	43	44	45	46	47	48	49	50
51	52	53	54	55	56	57	58	59	60
61	62	63	64	65	66	67	68	69	70
71	72	73	74	75	76	77	78	79	80
81	82	83	84	85	86	87	88	89	90
91	92	93	94	95	96	97	98	99	100

C9 Beth yw'r rhif cysefin mwyaf sy'n llai na 300?

Mae'r math yma o gwestiwn yn ymddangos <u>dro ar ôl tro</u> yn yr Arholiad, felly gofalwch eich bod yn gallu gwirio a yw rhif yn rhif cysefin neu beidio. Mae'n hawdd - edrychwch ar y dull yn y Llyfr Adolygu.

C10 Sawl rhif cysefin sy'n eilrif?

1.1 Cwestiynau ar Rifau

C11 Darganfyddwch dair set o rifau cysefin sy'n adio i roi'r rhifau canlynol:

22   **47**   **91**

C12 Bydd Alys, Ronan a Sara yn mynd i nofio'n rheolaidd. Bydd Alys yn mynd bob 2 ddiwrnod, bydd Ronan yn mynd bob 3 diwrnod a bydd Sara yn mynd bob 5 diwrnod. Ar ddydd Gwener, 1 Mehefin, aethant i gyd i nofio gyda'i gilydd.

a) Ar ba ddyddiad fydd Alys a Ronan yn mynd i nofio gyda'i gilydd nesaf?

b) Ar ba ddyddiad fydd Ronan a Sara yn mynd i nofio gyda'i gilydd nesaf?

c) Ar ba ddiwrnod o'r wythnos fydd y 3 ohonynt yn mynd i nofio gyda'i gilydd nesaf?

d) Pa un o'r 3 (os bydd un) fydd yn mynd i nofio ar 15 Mehefin?

C13 Gan roi eich ateb fel ffracsiwn yn ei ffurf symlaf, pa ffracsiwn o bob siâp sydd wedi ei dywyllu?

a)
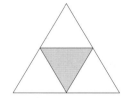

b)
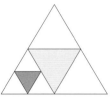

c)
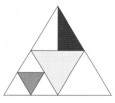

d)

C14 Gwariodd Bob £5.25 ar dair eitem yn y fferyllfa. Prynodd rasel oedd yn costio ddwywaith cymaint â'r sebon, a chostiodd y sebon ddwywaith cymaint â'r gel gwallt. Faint dalodd Bob am y gel gwallt?

C15 Defnyddiwch y diagram i gyfrifo cyfanswm y gost o brynu un tomato, un ciwcymbr ac un letysen.

1.2   *Cwestiynau ar Ddegolion*

C1   Ysgrifennwch y ffracsiynau canlynol fel degolion:

a) $\dfrac{3}{10}$ b) $\dfrac{37}{100}$ c) $\dfrac{2}{5}$ d) $\dfrac{3}{8}$ e) $\dfrac{14}{8}$

C2   Ysgrifennwch:
a) 33.9×10 c) 2.3902×1000 e) 122.6×100
b) 0.32×100 d) 64.9×10 f) 5.29×1000

[Y cyfan sydd raid i chi ei wneud yw symud y pwynt degol .... mae'n chwerthinllyd o hawdd!]

C3   Cyfrifwch y canlynol:
a) $8.38 + 8.46$ d) $5.79 - 0.98$ g) $1.84 + 8.61 + 5.6$
b) $14.77 + 0.13$ e) $109.79 - 68.32$ h) $(1.40 - 0.29) - 7.33$
c) $4.83 + 35.32$ f) $1.22 - 3.40$ i) $7.33 + 59.2 - 34.2$

C4   Gwnewch y canlynol:
a) 6.75×5 d) $6.75 \div 5$ g) $5 \times 6.2 \times 3.9$
b) 3.59×3.8 e) $6.25 \div 2.5$ h) $(2.5 \div 5) \div 0.1$
c) 8.05×111.11 f) $4.29 \div 0.066$ i) $1.6 \times 0.4 \div 0.2$

C5   Mae beic modur Teri yn teithio 122.5km ar 3.5 litr o betrol.
a) Sawl cilometr y litr yw hyn?
b) Pa mor bell fydd Teri'n gallu teithio ar 0.3 litr o betrol?
c) Faint o betrol fydd ei angen ar Teri i deithio 7km?

Dim ond ffordd arall o ysgrifennu ffracsiynau yw degolion - felly mae'n hawdd trawsnewid o'r naill ffurf i'r llall ...

C6   Yn y tabl trawsnewid yma llenwch y bylchau:

Ffracsiwn	Degolyn
½	0.5
⅕	
	0.125
	1.6
⁴⁄₁₆	
⁷⁄₂	
	0.x
ˣ⁄₁₀₀	
³⁄₂₀	
	0.45

C7   Ysgrifennwch y canrannau canlynol fel degolion:

a) 75%   b) 30%   c) 15.5%   d) 12%   e) 89.42%

Mae trawsnewid degolion a chanrannau yn hawdd -

C8   Llenwch y bylchau yn y tabl trawsnewid:

y cyfan sydd raid i chi ei wneud yw lluosi neu rannu â 100 !

Degolyn	Canran
	25%
0.4	
0.22	
0.0x	
	15%
	89%
1.0	
	67%
0.x	
	78.2%

1.3 Cwestiynau ar Ffactorau a Rhifau Cysefin

C1 1 3 6 9 12

O edrych ar y rhifau uchod, ysgrifennwch:

a) luosrif 4

b) y rhif cysefin

c) ddau rif sgwâr

d) dri ffactor 27

e) ddau rif P a Q sy'n bodloni P = 2Q a P = $\sqrt{144}$.

Gwaith sylfaenol iawn yw hwn - dim ond mater o wybod eich tablau lluosi, a'r rhifau cysefin wrth gwrs ...

C2 a) Darganfyddwch luosrif cyffredin lleiaf 5 a 9.

b) Darganfyddwch luosrif cyffredin lleiaf 4 a 6.

c) Darganfyddwch luosrif cyffredin lleiaf 4, 6 ac 8.

d) Darganfyddwch ffactor cyffredin mwyaf 26 a 52.

e) Darganfyddwch ffactor cyffredin mwyaf 26, 39 a 52.

C3 a) Ysgrifennwch y deg rhif triongl cyntaf.

b) Dewiswch bob un o luosrifau 2 o'ch rhestr.

c) Dewiswch bob un o luosrifau 3 o'ch rhestr.

d) Dewiswch unrhyw rifau cysefin o'ch rhestr.

e) Adiwch y rhifau yn eich rhestr at ei gilydd ac ysgrifennwch ffactorau cysefin y cyfanswm.

C4 Mae Geraint yn gwneud gwaith coed ac mae arno angen cyfrifo cyfaint bloc petryalog (ciwboid) o bren. Mae hyd y bloc yn 50cm, yr uchder yn 25cm a'r lled yn 16cm.

a) Beth yw cyfaint y bloc pren (mewn cm³)?

b) Beth yw ffactorau cysefin y rhif sydd yn rhan **a)**?

Mae Geraint yn gorfod torri'r bloc yn flociau bychain â'r dimensiynau 4cm × 5cm × 5cm.

c) Beth yw'r nifer mwyaf o flociau bychain all Geraint eu gwneud o'r bloc mawr?

C5 O edrych ar y rhestr yma o rifau: 17, 125, 9, 16, 25, 31, 49, 64, ysgrifennwch y canlynol:

a) yr holl rifau cysefin

b) yr holl odrifau

c) yr holl rifau sgwâr

d) yr holl rifau sy'n odrifau *ac* yn rhifau sgwâr.

Mae'r cliw yn y cwestiwn ...

C6 Roedd ysgol yn trefnu dosbarthiadau nos: Siarad Ffrangeg, Gwneud Teisennau a Thurnio. Roedd 29 o ddisgyblion yn y dosbarthiadau Siarad Ffrangeg, 27 o ddisgyblion yn y dosbarthiadau Gwneud Teisennau a 23 o ddisgyblion yn y dosbarth Turnio. Ym mha ddosbarthiadau y cafodd yr athro drafferthion wrth rannu'r disgyblion yn grwpiau cyfartal?

1.3 Cwestiynau ar Ffactorau a Rhifau Cysefin

C7 a) Ysgrifennwch y pum rhif ciwb cyntaf.
  b) Pa rai o'r rhifau a roddir yn rhan **a)** sy'n lluosrifau 2?
  c) Pa rai o'r rhifau a roddir yn rhan **a)** sy'n lluosrifau 3?
  d) Pa rai o'r rhifau a roddir yn rhan **a)** sy'n lluosrifau 4?
  e) Pa rai o'r rhifau a roddir yn rhan **a)** sy'n lluosrifau 5?

C8 Mynegwch y canlynol fel lluoswm ffactorau cysefin:
  a) 18
  b) 140
  c) 47.

Yr hyn sy'n anodd yw cofio fod <u>ffactorio cysefin</u> yn cynnwys <u>yr holl</u> ffactorau sy'n lluosi i wneud y rhif hwnnw - felly mae'n rhaid i chi ailadrodd rhai ohonynt.

C9 Ffactorau cysefin rhif arbennig yw $3^2 \times 5 \times 11$.
  a) Ysgrifennwch y rhif.
  b) Ysgrifennwch ffactorau cysefin 165.

C10 a) Rhestrwch y pum rhif cysefin cyntaf.
  b) Os ydynt yn cael eu hadio at ei gilydd, beth yw eu cyfanswm?
  c) Ysgrifennwch ffactorau cysefin ateb rhan **b)**.

C11 Mae $2^3 \times 5 \times 17$ yn ffactorau cysefin rhif arbennig.
  a) Beth yw'r rhif?
  b) Beth yw ffactorau cysefin hanner y rhif yma?
  c) Beth yw ffactorau cysefin chwarter y rhif yma?
  d) Beth yw ffactorau cysefin un rhan o wyth o'r rhif?

C12 a) Rhestrwch y pum odrif cyntaf.
  b) Os ydynt yn cael eu hadio at ei gilydd, beth yw'r cyfanswm?
  c) Ysgrifennwch ffactorau cysefin ateb rhan **b)**.

C13 Roedd Breian a Siwsan yn chwarae gêm ddyfalu. Meddyliodd Siwsan am rif rhwng 1 a 100 ac roedd rhaid i Breian ddyfalu beth oedd y rhif. Roedd Breian yn cael gofyn pump o gwestiynau, sydd wedi eu rhestru yn y tabl isod ynghyd ag atebion Siwsan.

Cwestiynau Breian	Atebion Siwsan
Ydy'r rhif yn rhif cysefin?	Nac ydy
Ydy'r rhif yn odrif?	Nac ydy
Ydy'r rhif yn llai na 50?	Ydy
Ydy'r rhif yn lluosrif 3?	Ydy
Ydy'r rhif yn lluosrif 7?	Ydy

Dechreuwch drwy ysgrifennu tabl rhifau hyd at 100. Edrychwch ar bob ateb yn ei dro a chroeswch y rhifau nes gadael un rhif yn unig.

Beth oedd y rhif y meddyliodd Siwsan amdano?

1.4 Cwestiynau ar Ffracsiynau

C1 Enrhifwch y canlynol, gan roi eich ateb fel ffracsiwn yn ei ffurf symlaf.

a) $\frac{1}{8} + \frac{1}{8}$

b) $\frac{1}{6} + \frac{2}{3}$

c) $\frac{3}{18} + \frac{1}{3}$

d) $1\frac{1}{4} + 3\frac{1}{8}$

e) $1\frac{1}{4} + 4\frac{1}{8}$

f) $\frac{9}{10} + \frac{9}{100} + \frac{1}{100}$

C2 Enrhifwch y canlynol, gan roi eich ateb fel ffracsiwn yn ei ffurf symlaf:

a) $\frac{1}{8} - \frac{1}{8}$

b) $\frac{2}{3} - \frac{1}{6}$

c) $\frac{3}{18} - \frac{1}{3}$

d) $3\frac{1}{8} - 1\frac{1}{4}$

e) $1\frac{1}{8} - 4\frac{1}{4}$

f) $\left(\frac{9}{10} - \frac{9}{100}\right) - \frac{1}{100}$

C3 Gwnewch y symiau lluosi yma, gan roi eich ateb fel ffracsiwn yn ei ffurf symlaf:

a) $\frac{1}{8} \times \frac{1}{8}$

b) $\frac{2}{3} \times \frac{1}{6}$

c) $\frac{3}{18} \times \frac{1}{3}$

d) $1\frac{1}{4} \times 3\frac{1}{8}$

e) $1\frac{1}{4} \times 4\frac{1}{8}$

f) $\frac{9}{10} \times \frac{9}{100} \times \frac{1}{100}$

C4 Gwnewch y symiau rhannu yma, gan roi eich ateb fel ffracsiwn yn ei ffurf symlaf:

a) $\frac{1}{8} \div \frac{1}{8}$

b) $\frac{2}{3} \div \frac{1}{6}$

c) $\frac{3}{18} \div \frac{1}{3}$

d) $1\frac{1}{4} \div 3\frac{1}{8}$

e) $1\frac{1}{4} \div 4\frac{1}{8}$

f) $\left(\frac{9}{10} \div \frac{9}{100}\right) \div \frac{1}{100}$

C5 Enrhifwch y canlynol, gan roi eich ateb fel ffracsiwn yn ei ffurf symlaf:

a) $\frac{1}{2} + \frac{1}{4}$

b) $\frac{2}{3} - \frac{1}{4}$

c) $\frac{1}{5} + \frac{2}{3} - \frac{2}{5}$

d) $5 - \frac{1}{4}$

e) $6 \times \frac{2}{3}$

f) $\frac{4}{5} \div \frac{2}{3}$

g) $\frac{5}{12} \times \frac{3}{2}$

h) $\frac{5}{6} - \frac{7}{8}$

i) $3 + \frac{8}{5}$

j) $\frac{2}{3}\left(\frac{3}{4} + \frac{4}{5}\right)$

k) $\left(\frac{1}{7} + \frac{3}{14}\right) \times \left(3 - \frac{1}{5}\right)$

l) $\left(\frac{3}{4} - \frac{1}{5}\right) \div \left(\frac{7}{8} + \frac{1}{16}\right)$

C6 Sgoriodd Dafydd 50 o goliau y tymor diwethaf. Sgoriodd 30 o'r rhain gartref.
a) Ysgrifennwch ffracsiwn y goliau a sgoriodd Dafydd gartref (yn ei ffurf symlaf).
b) Cyfrifwch ffracsiwn y goliau a sgoriodd Dafydd oddi cartref.

Gofalwch fod y rhifau gwaelod yr un fath wrth adio (neu dynnu) ffracsiynau ... mae hyn yn ddigon hawdd i ddweud y gwir.

1.4   *Cwestiynau ar Ffracsiynau*

C7   Mae pêl yn cael ei gollwng o uchder o 6m.

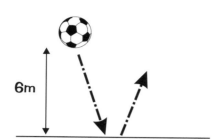

6m

Cofiwch ddefnyddio'ch cyfrifiannell os yn bosibl i wneud ffracsiynau yn yr Arholiad - er mwyn osgoi gwneud camgymeriadau gwirion a cholli marciau.

Ar ôl pob sbonc mae'r bêl yn codi $\frac{2}{3}$ o'i huchder blaenorol. Beth fydd ei huchder ar ôl y drydedd sbonc?

C8   Mae Siôn eisiau gwneud teisen. Mae'r rysáit yn defnyddio 150g yr un o flawd, siwgr a menyn a 3 wy. Dim ond 2 wy sydd gan Siôn felly mae o'n penderfynu gwneud teisen lai gyda'r un cyfraneddau.
  a) Faint o flawd fydd ei angen ar Siôn?
  b) Os yw pob wy yn pwyso 25g, faint fydd y deisen yn pwyso cyn iddi fynd i'r popty?
  c) Pa ffracsiwn o'r pwysau heb ei goginio sy'n flawd?
  d) Os yw'r deisen yn colli $\frac{1}{7}$ o'i phwysau wrth gael ei choginio (oherwydd colli gwlybaniaeth) faint fydd hi'n pwyso ar ôl cael ei choginio?

C9   Mae poblogaeth Awstralia yn 18 miliwn. Mae 3.5 miliwn o bobl yn byw yn Sydney ac 1 filiwn o bobl yn byw yn Perth.
  a) Pa ffracsiwn o'r boblogaeth sy'n byw yn Perth?
  b) Pa ffracsiwn o'r boblogaeth sy'n byw yn Perth neu yn Sydney?

C10   Mae Ynys Borffor wedi ei rhannu yn chwe rhanbarth, A, B, C, CH, D ac DD. Arwynebeddau'r chwe rhanbarth yw 12, 2, 3, 18, 4 a 9km^2 yn eu trefn.
  a) Beth yw cyfanswm arwynebedd yr ynys?
  b) Pa ffracsiwn o arwynebedd yr ynys sy'n cael ei orchuddio gan y ddwy ranbarth fwyaf?

C11   Mewn arolwg o ddefnyddwyr, dywedodd 100 o bobl beth oedd eu hoff lysiau. Dywedodd 25 o bobl mai pys oedd eu hoff lysiau, dywedodd 35 mai moron oedd eu hoff lysiau a dywedodd 32 mai ffa dringo oedd eu hoff lysiau.
  a) Faint o'r 100 o bobl ddewisodd lysiau heblaw pys, moron neu ffa dringo?
  b) Pa ffracsiwn o'r 100 o bobl ddywedodd mai moron oedd eu hoff lysiau?
  c) Pa ffracsiwn o'r 100 o bobl ddywedodd mai pys oedd eu hoff lysiau?
  d) Beth oedd y nifer lleiaf posibl o bobl a ddywedodd mai llysiau gwyrdd oedd eu hoff lysiau?
  e) Dim mwy na pha nifer o bobl ddewisodd lysiau gwyrdd fel eu hoff lysiau?

1.5   Cwestiynau ar Rifau Cymarebol ac Anghymarebol

Mae'r syniad o rifau cymarebol ac anghymarebol yn un rhyfedd braidd. Yn sylfaenol, rhif cyfan neu rif y gellir ei ysgrifennu fel <u>ffracsiwn</u> yw rhif <u>cymarebol</u>. Ac fel y gallwch ddyfalu, rhif nad yw'n rhif cyfan ac <u>na ellir</u> ei ysgrifennu fel ffracsiwn yw rhif <u>anghymarebol</u>.

C1   Ysgrifennwch rif cymarebol a rhif anghymarebol a'r ddau ohonynt yn fwy na $\sqrt{5}$ ac yn llai na 5.

C2 **a)** Rhowch ddiffiniad o'r hyn a olygir wrth rif cymarebol.
    b) Defnyddiwch eich diffiniad i ddangos fod P^2 yn rhif cymarebol bob tro y bydd P yn rhif cymarebol.

C3   Rhowch enghraifft o ddau rif anghymarebol gwahanol, x ac y, lle mae $\frac{x}{y}$ yn rhif cymarebol.

C4   Ysgrifennwch werth ar gyfer x lle mae $x^{\frac{1}{2}}$ yn:
    a) anghymarebol
    b) gymarebol

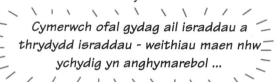

Cymerwch ofal gydag ail israddau a thrydydd israddau - weithiau maen nhw ychydig yn anghymarebol ...

C5   Pa rai o'r pwerau canlynol o $\sqrt{3}$ sy'n gymarebol a pha rai sy'n anghymarebol:

    a) $(\sqrt{3})^1$ **c)** $(\sqrt{3})^3$

    b) $(\sqrt{3})^2$ **d)** $(\sqrt{3})^4$

C6   Mae P yn rhif cymarebol a Q yn rhif anghymarebol. Rhowch werth i P a gwerth cyfatebol i Q fel bod $P + Q = \sqrt{5}$.

C7   Mae pump o'r rhifau canlynol yn gymarebol a phump yn anghymarebol:
    $\sqrt{2} \times \sqrt{8}$, $(\sqrt{5})^6$, $\sqrt{3} / \sqrt{2}$, $(\sqrt{7})^3$, 6π, 0.4, $\sqrt{5} - 2.1$, $40 - 2^{-1} - 4^{-2}$, $49^{\frac{1}{2}}$, $\sqrt{6} + 6$
    a) Ysgrifennwch y pum rhif cymarebol.
    b) Ysgrifennwch y pum rhif anghymarebol.

C8 **a)** Ysgrifennwch rif cymarebol sy'n fwy nag 1 ond sy'n llai na 2.
    b) Ysgrifennwch rif anghymarebol sydd rhwng 1 a 2.
    c) Os yw P yn rhif cymarebol ansero, a yw $\frac{1}{P}$ hefyd yn rhif cymarebol? Dangoswch eich rhesymu yn glir.

C9   Pa rai o'r canlynol sy'n gymarebol a pha rai sy'n anghymarebol?

    a) $16^{\frac{1}{2}}$ **b)** $16^{\frac{1}{3}}$ **c)** $16^{\frac{1}{4}}$

C10   Ysgrifennwch werth anghymarebol ar gyfer x lle mae x^{-2} yn:
    a) anghymarebol
    b) gymarebol.

C11   Mae P a Q yn ddau rif anghymarebol. Rhowch werth i P a gwerth cyfatebol i Q fel bod PQ = 6.

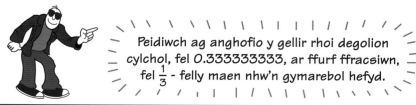

Peidiwch ag anghofio y gellir rhoi degolion cylchol, fel 0.333333333, ar ffurf ffracsiwn, fel $\frac{1}{3}$ - felly maen nhw'n gymarebol hefyd.

1.5 Cwestiynau ar Rifau Cymarebol ac Anghymarebol

C12   Dangoswch yn eglur pam y mae 4.262626 ... yn rhif cymarebol.

C13   Os yw x = 2, y = $\sqrt{3}$ a z = 2$\sqrt{2}$, pa rai o'r mynegiadau canlynol sy'n gymarebol a pha rai sy'n anghymarebol? (dangoswch eich gwaith cyfrifo)

   a) xyz

   b) (xyz)^2

   c) x + yz

   d) $\dfrac{yz}{2\sqrt{3}x}$

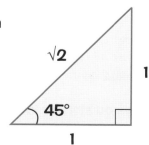

C14   A yw'r mynegiadau canlynol yn gymarebol ynteu'n anghymarebol?

   a) (1 + $\sqrt{5}$)(1 − $\sqrt{5}$)   **b)** $\dfrac{1 + \sqrt{5}}{1 - \sqrt{5}}$

C15   Os yw x = 1 ac y = $\sqrt{2}$, a yw'r mynegiadau canlynol yn gymarebol ynteu'n anghymarebol?

   a) (x + y)(x − y)   **b)** $\dfrac{x + y}{x - y}$

C16   Dangoswch yn eglur pam y mae 1.3434 ... yn rhif cymarebol.

C17   Ysgrifennwch rif cymarebol a rhif anghymarebol sydd rhwng $\sqrt{2}$ a π.

C18   Os yw P yn rhif cymarebol ansero dangoswch fod (P + 1) hefyd yn rhif cymarebol.

C19   Os yw x = 2$\sqrt{5}$, y = 5 a z = 5$\sqrt{2}$, pa rai o'r mynegiadau canlynol sy'n gymarebol a pha rai sy'n anghymarebol? (dangoswch eich gwaith cyfrifo).

   a) x^5 **c)** x$\sqrt{5}$

   b) x^{2}yz^2 **d)** xy + z^2

C20   Mae P a Q yn ddau rif cymarebol. Rhowch werth i P a gwerth cyfatebol i Q fel bod P$^{\frac{1}{2}}$Q = $\dfrac{1}{2}$.

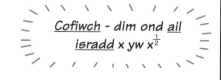

Cofiwch - dim ond ail isradd x yw x$^{\frac{1}{2}}$

C21   Rhowch enghraifft o ddau wahanol rif anghymarebol, x ac y, lle mae xy yn rhif cymarebol.

C22   Mae Dylan yn llunio triongl ongl sgwâr. Gan ddefnyddio theorem Pythagoras mae'n cyfrifo fod hyd yr hypotenws yn $\sqrt{2}$. A yw sin(45°) yn gymarebol ynteu'n anghymarebol?

1.6   *Cwestiynau ar Ganrannau*

Sicrhewch eich bod yn gallu trosi ffracsiynau yn ddegolion ac yn ganrannau cyn cychwyn.

C1   Mynegwch bob canran fel degolyn:

     a) 50%   **b)** 12%   **c)** 40%   **d)** 34%

C2   Mynegwch bob canran fel ffracsiwn yn ei ffurf symlaf:

     a) 25%   **b)** 60%   **c)** 45%   **d)** 30%

C3   Mynegwch bob un o'r canlynol fel canran:

     a) $\frac{1}{8}$ **b)** 0.23   **c)** $\frac{12}{40}$ **d)** 0.34

C4   Mewn prawf Ffrangeg sgoriodd Lois 17/20. Beth yw hyn fel canran?

C5   Mae gan 87 allan o 120 o ddisgyblion Ysgol Dinefwr y cyfle i ddefnyddio cyfrifiadur. Beth yw hyn fel canran?

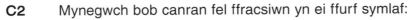

Ceir tri math o gwestiynau ar ganrannau - ac mae cyfrifo 'rhywbeth fel % o rywbeth arall' yn hawdd iawn. Cofiwch ei adio unwaith eto at y swm gwreiddiol mewn cwestiwn TAW.

Edrychwch...

C6

> **Gwely a brecwast £37 yr un**
> **Swper £15 yr un**

Y PAROT PARABLUS

Mae pedwar o ffrindiau yn aros yn y Parot Parablus am un noson ac yn cael swper. Beth yw cyfanswm y gost, os ychwanegir TAW yn ôl $17\frac{1}{2}$%?

C7   Prynodd John recordydd fideo newydd. Roedd y ticed pris yn y siop yn dweud ei fod yn costio £299 + TAW. Os codir TAW yn ôl $17\frac{1}{2}$%, faint dalodd John (i'r geiniog agosaf)?

C8   Mae Deian yn ennill cyflog blynyddol o £23,500. Nid yw'n talu treth ar y £3400 cyntaf mae'n ei ennill. Faint o dreth incwm mae o'n ei dalu pan fydd cyfradd y dreth yn:

     a) 25%

     b) 40%

C9   Talodd Tania £6500 am ei char newydd. Bob blwyddyn mae ei werth yn gostwng 8%.

     a) Beth oedd gwerth y car pan oedd yn flwydd oed?

     b) Beth oedd gwerth y car pan oedd yn ddwy oed?

Dyma'r ail fath - darganfod 'rhywbeth <u>fel canran</u> o rywbeth arall' - yn yr achos yma rydych yn edrych ar <u>newid</u> canrannol, felly peidiwch ag anghofio cyfrifo hynny'n gyntaf.

C10   Yn ystod storm o law cynyddodd pwysau casgen ddŵr o 10.4kg i 13.6kg. Beth oedd y cynnydd canrannol (i'r ganran agosaf)?

1.6 Cwestiynau ar Ganrannau

C11   Ceir oddeutu 6000 o Siopau Pysgod a Sglodion ym Mhrydain. Ar gyfartaledd, bydd 160 o bobl yn mynd i bob siop bysgod a sglodion bob dydd. O wybod fod poblogaeth Prydain yn 60 miliwn yn fras, tua pha ganran o'r boblogaeth sy'n mynd i siop bysgod a sglodion bob dydd?

C12   Mae siop nwyddau trydanol yn gostwng pris camera arbennig o £90.00 i £78.30. Beth yw'r gostyngiad canrannol (i 1 lle degol)?

C13   Os yw L = MN, beth yw'r cynnydd canrannol yn L os yw M yn cynyddu 15% ac N yn cynyddu 20%?

C14   Ar 1af Tachwedd 1973 cafodd Mr Ifans fenthyciad o £120 gan ei fanc. Talodd £32 yn ôl ar 31 Hydref 1974 a'r un swm ar yr un dyddiad bob blwyddyn ar ôl hynny. Codwyd adlog yn ôl 14% y flwyddyn ar y gweddill yn ystod y flwyddyn. Beth oedd maint ei ddyled ar 1 Tachwedd 1976?

C15   Mae Coleg Llwynros yn trefnu dosbarth nos i fyfyrwyr hŷn sy'n dymuno dysgu Almaeneg. Wythnos cyn eu harholiad terfynol mae'r myfyrwyr yn sefyll ffug arholiad. Dangosir canlyniadau'r 32 myfyriwr yn y ffug arholiad a'r arholiad terfynol yn y tabl isod.

	Arholiad terfynol	
	Llwyddo	Methu
Ffug arholiad Llwyddo	20	2
Methu	4	6

a) Pa ganran o'r myfyrwyr lwyddodd yn yr arholiad terfynol?

b) Pa ganran o'r myfyrwyr y rhagfynegodd y ffug arholiad eu canlyniadau yn gywir?

A dyma ni - y trydydd math - darganfod y gwerth gwreiddiol. Y rhan mae'r rhan fwyaf o bobl yn ei gael yn anghywir yw penderfynu pa un ai yw'r gwerth a roddir yn cynrychioli mwy ynteu llai na 100% o'r gwreiddiol - felly cofiwch wirio bob amser fod eich ateb yn gwneud synnwyr.

C16   Yn y sêls ddechrau'r flwyddyn prynodd Robin raced tennis am £68.00. Roedd y pris gwreiddiol wedi ei ostwng 15%. Beth oedd y pris gwreiddiol?

C17   Roedd 300 o bobl yn byw mewn pentref arbennig flwyddyn yn ôl. Heddiw mae poblogaeth y pentref yn 360.

a) Beth yw'r cynnydd canrannol blynyddol yn y boblogaeth?

b) Sawl blwyddyn gyfan fydd o heddiw ymlaen nes y bydd y boblogaeth yn dyblu?

1.6   *Cwestiynau ar Ganrannau*

Mwy o ganrannau. Maen nhw'n benderfynol eich bod chi'n dysgu'r gwaith yma, felly mae'n rhaid i chi ymarfer.

C18   Rydw i'n dymuno buddsoddi £1000 am gyfnod o dair blynedd ac rydw i wedi penderfynu rhoi fy arian yng Nghymdeithas Adeiladu'r Ddraig Ddoeth ar 1 Ionawr. Os byddaf yn dewis defnyddio'r Cyfrif Aur byddaf yn tynnu'r llog allan ar ddiwedd pob blwyddyn. Os byddaf yn dewis defnyddio'r Cyfrif Arian byddaf yn gadael i'r llog gael ei ychwanegu at y cyfalaf ar ddiwedd pob blwyddyn.

> **CYMDEITHAS ADEILADU'R DDRAIG DDOETH**
>
> Cyfrif Aur   7.875% y flwyddyn
> Cyfrif Arian   7.00% y flwyddyn
>
> Cyfrifir y llog o ddydd i ddydd a bydd yn cael ei ychwanegu at eich cyfrif ar 31 Rhagfyr bob blwyddyn

a) Cyfrifwch gyfanswm y llog fyddaf yn ei dderbyn os byddaf yn defnyddio'r Cyfrif Aur.

b) Cyfrifwch gyfanswm y llog fyddaf yn ei dderbyn os byddaf yn defnyddio'r Cyfrif Arian.
Ar ôl cryn ystyriaeth rydw i'n penderfynu defnyddio'r Cyfrif Aur a gadael y llog fel y bydd yn cael ei ychwanegu at y cyfalaf ar ddiwedd pob blwyddyn.

c) Cyfrifwch gyfanswm y llog fyddaf yn ei dderbyn yn awr o'r Cyfrif Aur.

C19   Roedd Martha yn gwybod 16/25 o'r atebion mewn croesair. Beth yw hyn fel canran?

C20   Mewn arolwg dywedodd 152/190 o bobl na allent siarad unrhyw ieithoedd tramor. Beth yw hyn fel canran?

C21   Roedd arwydd mewn ffenestr siop nwyddau gwersylla yn dweud fod pabell foethus yn costio £150.50. Ar ôl trafod gyda rheolwr y siop llwyddais i gael gostyngiad o 5% yn y pris. Faint wnes i ei dalu am y babell foethus?

C22   Roedd Jeremy eisiau soffa newydd i'w lolfa. Roedd siop ddodrefn leol yn gwerthu'r union beth oedd yn chwilio amdano am £130.00 + TAW. Roedd gan Jeremy £150 yn ei gyfrif banc. Pe byddai TAW yn $17\frac{1}{2}$% a fyddai Jeremy yn gallu fforddio'r soffa?

C23   Mae Sian yn ennill £16,500 y flwyddyn cyn talu treth. Nid yw hi'n talu treth ar y £2800 cyntaf mae hi'n ei ennill. Faint o dreth incwm mae hi'n ei dalu bob blwyddyn pan fydd cyfradd y dreth yn:

a) 20%

b) 35%

Esgob! - mi fyddwch wedi cael llond bol o'r rhain erbyn i chi orffen!

C24   Mae arbenigwr hen greiriau yn amcangyfrif fod gwerth ei gasgliad o rolbrenni o oes Fictoria yn cynyddu yn ôl cyfradd o 6% bob blwyddyn. Heddiw mae'r casgliad yn werth £848.

a) Faint oedd gwerth ei gasgliad flwyddyn yn ôl?

b) Faint fydd gwerth ei gasgliad mewn blwyddyn?

1.6   *Cwestiynau ar Ganrannau*

Edrychwch am eiriau megis cynnydd, gostyngiad, elw, colled, gwall, gwelliant, disgownt - fel arfer maen nhw'n golygu cwestiwn 'newid canrannol' ...

C25   Pan gafodd ei geni roedd Falmai yn 0.3m o daldra. Ar ôl cyrraedd ei llawn dwf roedd ei thaldra yn 1.5m. Cyfrifwch ei thaldra nawr fel canran o'i thaldra pan gafodd ei geni.

C26   Os yw L = M², beth yw'r cynnydd canrannol yn L os yw M yn cynyddu 10%?

C27   Ar 1 Ionawr 1952 cafodd Mr Caradog fenthyciad o £50 gan ei fanc. Talodd £9 yn ôl ar 31 Rhagfyr 1952 a'r un swm ar yr un dyddiad bob blwyddyn ar ôl hynny. Codwyd adlog yn ôl 29% y flwyddyn ar y gweddill yn ystod y flwyddyn. Oedd o'n parhau i fod mewn dyled i'r banc ar 1 Ionawr 1983?

C28   Prynodd Clive het newydd yn y sêls am £18.00. Roedd y pris gwreiddiol wedi ei ostwng 25%. Beth oedd y pris gwreiddiol?

C29   Ceir oddeutu 13,000 o ganolfannau garddio ym Mhrydain. Ar gyfartaledd, mae 520 person yn ymweld â phob un bob wythnos. O wybod fod poblogaeth Prydain yn 60 miliwn yn fras, tua pha ganran o'r boblogaeth sy'n ymweld â chanolfan arddio bob wythnos?

C30   Mae siop crefftau'r cartref yn gostwng pris giât bren safonol o £42.00 i £27.00. Beth yw'r gostyngiad canrannol?

C31   Rhoddir canlyniadau Bioleg Lefel A Ysgol Garn Hir yn y tabl isod.

Canlyniadau Bioleg Lefel A	
Gradd	Nifer wedi llwyddo
A	4
B	6
C	7
D	4
E	3
Arall	2

a) Pa ganran o'r ymgeiswyr gafodd radd A?
b) Pa ganran o'r ymgeiswyr gafodd un ai radd A, B neu C?
c) Pa ganran o'r ymgeiswyr na chafodd radd A, B neu C?

C32   Mae Daniel yn sefyll ei arholiad TGAU mathemateg yr wythnos nesaf. Wrth adolygu ceisiodd ateb 31 o gwestiynau ar un o'i gas bynciau sef canrannau. Cafodd 21 o gwestiynau yn hollol gywir ar y cynnig cyntaf. Ddau ddiwrnod yn ddiweddarach rhoddodd gynnig ar y 31 cwestiwn unwaith eto a'r tro hwn cafodd 29 ohonynt yn gywir.

a) Pa ganran o'r cwestiynau gafodd o'n gywir ar y cynnig cyntaf?
b) Pa ganran o'r cwestiynau gafodd o'n gywir ar yr ail gynnig?
c) Beth yw'r gwelliant canrannol yng nghanlyniadau Daniel?

     d) Ac yn eich barn chi, fyddai Daniel wedi cael yr ateb yma'n gywir?

1.7 Cwestiynau ar Fotymau'r Cyfrifiannell

C1   Defnyddiwch y botwm $\boxed{x^2}$ ar eich cyfrifiannell i gyfrifo'r canlynol:

a) 1^2 d) 16^2 g) $(-5)^2$

b) 2^2 e) $(-1)^2$ h) 1000^2

c) 11^2 f) 30^2 i) 0^2

       (Yn rhannau **e)** a **g)** defnyddiwch y botwm $\boxed{(-)}$)

C2   Defnyddiwch y botwm $\boxed{\sqrt{}}$ ar eich cyfrifiannell i gyfrifo'r canlynol:

a) $\sqrt{16}$ d) $\sqrt{0}$ g) $\sqrt{3}$

b) $\sqrt{36}$ e) $\sqrt{3600}$ h) $\sqrt{7}$

c) $\sqrt{289}$ f) $\sqrt{400}$ i) $\sqrt{30}$

C3   Cafodd Aled Wyn gyfrifiannell newydd ar ei ben-blwydd. Pwysodd y botwm $\boxed{2}$ ac yna pwysodd $\boxed{x^2}$ ac yna $\boxed{=}$. Yna pwysodd y botwm $\boxed{\text{Ans}}$ a'r botwm $\boxed{x^2}$, ac yna'r botwm $\boxed{=}$ 8 o weithiau. Dychrynodd Aled pan ymddangosodd neges ryfedd yr olwg ar y dangosydd. Beth oedd y neges yma a pam yr ymddangosodd?

C4   Defnyddiwch y botwm $\boxed{\sqrt[3]{}}$ ar eich cyfrifiannell i gyfrifo'r canlynol:

a) $\sqrt[3]{1}$ e) $\sqrt[3]{27}$

b) $\sqrt[3]{0}$ f) $\sqrt[3]{-27}$

c) $\sqrt[3]{343}$ g) $\sqrt[3]{-64}$

d) $\sqrt[3]{1000}$ h) $\sqrt[3]{-5}$

> *Rydym i gyd yn gwybod sut i wneud syms ar gyfrifiannell - ond gall y cyfrifiannell wneud llawer iawn mwy os defnyddir y botymau pwerau, y botwm cromfachau a'r botwm $\boxed{1/x}$ hynod o ddefnyddiol.*

C5   Gan gyfrifo'r llinell isaf yn gyntaf (yr enwadur) ac yna defnyddio botymau cof eich cyfrifiannell cyfrifwch y canlynol:

a) $\dfrac{21}{1+\sin 30°}$ c) $\dfrac{15}{\cos 30°+22}$ e) $\dfrac{12}{12 + \tan 60°}$

b) $\dfrac{\tan 15°}{12+12^2}$ d) $\dfrac{18}{3+\sqrt[3]{12}}$ f) $\dfrac{18}{11 + \tan 77°}$

C6   Gan ddefnyddio $\boxed{[(---}$ a $\boxed{---)]}$ mewn ffordd briodol cyfrifwch y canlynol:

Dyma CORLAT ar ei ffordd ...

a) $\dfrac{(14+18)}{2\times8}$ c) $\dfrac{(9+(4\div2))}{(11\times3)}$ e) $\dfrac{12}{(8+9)(13-11)}$

b) $\dfrac{8}{(1\times4)(8-6)}$ d) $\dfrac{14(4\times8)}{(6+9)}$ f) $\dfrac{7(5+4)}{12(9\times8)}$

1.7 Cwestiynau ar Fotymau'r Cyfrifiannell

C7 Defnyddiwch y botwm x^y i ddarganfod y canlynol:

a) 2^0

b) 4^{10}

c) 2^{20}

d) π^2

e) e^3

f) 3^{10}

g) $(\cos 30°)^5$

h) 4.29^7

i) $(\sin 45°)^4$

C8 Gan ddefnyddio'r botwm **EXP** neu **EE** ar eich cyfrifiannell, bwydwch y rhifau canlynol i'ch cyfrifiannell ac ysgrifennwch beth sy'n digwydd:

a) 2×10^4

b) 3×10^5

c) 6.29×10^4

Cofiwch - pan fyddwn yn defnyddio'r botwm ffurf safonol, bydd y cyfrifiannell yn rhoi'r ateb fel 2.3⁴³, tra'r hyn mae'n olygu yw 2.3 x 10⁴³. Chi sy'n gorfod ei ysgrifennu yn y ffurf gywir - os na wnewch hyn <u>bydd eich ateb yn anghywir</u>.

C9 Cyfrifwch y canlynol (gan adael eich ateb yn y ffurf safonol):

a) $\dfrac{2 \times 10^3}{5 \times 10^2}$

b) $\dfrac{5.6 \times 10^4}{2.8 \times 10^5}$

c) $\dfrac{1.88 \times 10^3}{9.4 \times 10^2}$

d) $\dfrac{4.2 \times 10^9}{3.9 \times 10^2}$

e) $\dfrac{7.1 \times 10^3}{3.52 \times 10^3}$

f) $(8.92 \times 10^6) \times (1.22 \times 10^2)$

Croesair Rhif

1) Caru Ann? Na! (9)

2) Hyd imperial. (6)

3) Gallwch adio a thynnu'r rhain pan fydd ganddynt enwadur cyffredin. (10)

4) _____ 24 yw 1, 2, 3, 4, 6, 12 a 24 (8)

5) Nid yw π y math hwn o rif. (9)

6) Nid dyfalu syml yn unig yw hyn. (11)

7) Rydw i'n rhif sy'n rhanadwy â mi fy hun ac un. (7)

8) Mae angen gwneud hyn i ddarganfod beth yw tymheredd Celsius fel tymheredd Fahrenheit, a throi oriau yn funudau. (10)

1.8   Cwestiynau ar Ffactorau Trawsnewid

Rhaid i chi wybod yr holl ffactorau trawsnewid metrig ac Imperial - does gennych chi ddim dewis, rhaid i chi eistedd i lawr i'w dysgu ...

C1   Mynegwch y maint a roddir yn nhermau'r uned(au) mewn cromfachau:

a) 2m [cm]

b) 3.3cm [mm]

c) 4kg [g]

d) 600g [kg]

e) 4 troedfedd [modfeddi]

f) 36 modfedd [troedfeddi]

g) 87 modfedd [troedfeddi a modfeddi]

h) 43 owns [pwysi ac ownsys]

i) 650m [km]

j) 9kg [g]

k) 7g [kg]

l) 950g [kg]

m) 6 troedfedd [modfeddi]

n) 5 pwys [ownsys]

o) 301 troedfedd [llathenni a throedfeddi]

p) 6m [mm]

q) 2t [kg]

r) 3000g [kg]

s) 8cm 6mm [mm]

t) 3 troedfedd 6 modfedd [modfeddi]

u) 4 pwys 7 owns [ownsys]

v) 550kg [tunelli]

w) 3m 54cm [cm]

x) 0.7cm [mm]

C2   Mae Branwen yn pwyso 9 stôn a 4 pwys.
Mae 14 pwys mewn stôn ac mae 1 cilogram yn hafal i 0.157 stôn.
Newidiwch bwysau Branwen yn gilogramau.

C3   Mae cafn dŵr ceffyl yn dal 14 galwyn o ddŵr. Sawl litr yw hyn?

C4   Trawsnewidiwch 147g yn ownsys.

C5   Seiclodd Bethan 51km mewn un diwrnod a seiclodd Emlyn 30 milltir. Pwy deithiodd bellaf?

C6   Mae pentwr o frics yn pwyso 7 tunnell fetrig, sawl tunnell yw hyn?

C7   Mae gwniadwraig angen torri stribedyn 11 modfedd o sidan tenau.
a) Sawl cm yw hyn?
b) Sawl mm yw hyn?

C8   Yn y gampfa mae Arnold yn gallu codi barbwysau sy'n pwyso 60kg.
a) Trawsnewidiwch hyn yn bwysi.
b) Sawl owns yw hyn?
Gall Orig godi barbwysau sy'n pwyso 0.059 tunnell fetrig.
c) Pa un o'r ddau sy'n gallu codi'r pwysau trymaf?

C9   Mae un modurdy lleol yn codi £3.13 y galwyn am betrol di-blwm. Mae garej archfarchnad yn codi 67.9c y litr am betrol di-blwm. Pa un yw'r gwerth gorau?

C10   Mae Guto yn cerdded yn y mynyddoedd gyda 15 o'i gyfeillion. Mae ganddo fflasg anferth sy'n dal 12 peint o de yn ei fag cefn.
a) Sawl litr o de yw hyn?
b) Os bydd yn cael ei rannu'n gyfartal, sawl peint o de yw hyn i bob aelod o'r grŵp?
c) Sawl litr o de mae pob aelod o'r grŵp yn ei gael?

C11   Mae angen 5 pwys o siwgr ar gyfer y rysáit i wneud y Jeli Mwyaf Crynedig yn y Byd. Sawl bag 1kg o siwgr fydd angen i Dic eu prynu er mwyn gwneud y jeli?

1.8 *Cwestiynau ar Ffactorau Trawsnewid*

C12 Mae Gethin yn mynd i brynu defnydd i wneud trowsus newydd. Mae siop leol yn codi £9.84 y llathen sgwâr am y defnydd mae Gethin yn ei hoffi. Mewn siop ddefnyddiau fawr codir £10.80 y fetr sgwâr am yr un defnydd. O edrych ar y prisiau, ym mhle dylai Gethin brynu'r defnydd?

C13 Mae'r cerflun Groegaidd amhrisiadwy yn fy ngardd yn 21 troedfedd o daldra.

a) Sawl modfedd yw hyn?
b) Sawl llathen yw hyn?
c) Sawl metr yw hyn?

d) Sawl cm yw hyn?
e) Sawl mm yw hyn?
f) Sawl km yw hyn?

Rydw i'n sicr eich bod yn gallu gwahaniaethu rhwng y clociau 12 a 24 awr, ond er mwyn bod yn hollol sicr ...

C14 Mae'r amseroedd isod wedi eu rhoi gan ddefnyddio'r cloc 24 awr. Gan ddefnyddio am neu pm, rhowch yr amser sy'n cyfateb ar gloc 12 awr.

a) 0500
b) 1448

c) 0316
d) 1558

e) 2230
f) 0001

C15 Mae'r amseroedd isod yn amseroedd cloc 12 awr. Rhowch yr amseroedd sy'n cyfateb ar gloc 24 awr.

a) 11.30pm
b) 10.22am

c) 12.15am
d) 12.15pm

e) 8.30am
f) 4.45pm

C16 Darganfyddwch faint o amser sydd rhwng y parau canlynol o amseroedd:
a) 0820 ar 1 Hydref 1999 a 1620 ar yr un diwrnod
b) 10.22pm ar 1 Hydref 1999 ac 8.22am y diwrnod canlynol
c) 2.18am ar 1 Hydref 1999 a 2.14pm yn ddiweddarach yr un diwrnod
d) 0310 ar 1 Hydref 1999 a 0258 ar 3 Hydref 1999.

C17 Trawsnewidiwch y canlynol yn oriau a munudau:
a) 3.25 awr   **b)** 0.4 awr   **c)** 7.3 awr   **d)** 1.2 awr

C18 Trawsnewidiwch y canlynol yn oriau yn unig:
a) 2 awr 20 munud
b) 3 awr 6 munud
c) 20 munud.

Gyda llaw ceir botwm ar eich cyfrifiannell i wneud hyn ... ond ceisiwch ymarfer ar eich liwt eich hun i ddechrau.

1.8   Cwestiynau ar Ffactorau Trawsnewid

C19   Mae'r amserlen hon yn cyfeirio at dri thrên sy'n teithio o Abercarreg i Ddinbych Coch.

a) Pa drên sy'n cymryd fwyaf o amser i fynd o Abercarreg i Ddinbych Coch?

b) Pa drên sy'n cymryd fwyaf o amser i fynd o Gaerddafydd i Ddinbych Coch?

c) Rydw i'n byw ym Methania. Mae hi'n cymryd 8 munud i mi gerdded i'r orsaf. Am faint o'r gloch fydd yn rhaid i mi adael y tŷ er mwyn cyrraedd Dinbych Coch cyn 1200?

Abercarreg - Dinbych Coch			
	Trên 1	Trên 2	Trên 3
Abercarreg	083 2	1135	1336
Bethania	0914	1216	1414
Caerddafydd	1002	1259	1456
Dinbych Coch	1101	1404	1602

C20   Mae'r cwmni teithio Gwyliau Gwerthfawr yn cynnig cyfradd cyfnewid o 176 Peseta am £1 Sterling. Maen nhw hefyd yn cynnig 7.54 Ffranc Ffrengig am £1 Sterling a 2232 Lira hefyd am £1 Sterling. Cyfrifwch beth yw gwerth y canlynol mewn Punnoedd Sterling, i'r geiniog agosaf:

a) 220 Ffranc

b) 6866 Lira

c) 1233 Peseta (Sbaen)

d) 4400 Peseta (Sbaen)

e) 11 Ffranc

f) 20,900 Lira

g) 5456 Lira

h) 1024 Peseta (Sbaen)

i) 931 Ffranc

j) 390 Peseta (Sbaen)

k) 14 Ffranc

l) 1 Lira

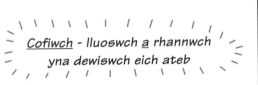

Cofiwch - lluoswch *a* rhannwch yna dewiswch eich ateb

Gan ddefnyddio'r un cyfraddau cyfnewid, trawsnewidiwch y symiau canlynol yn Ffranciau Ffrengig:

m) £400

n) 600 Lira

o) 700 Peseta

p) 3323 Lira

Unwaith eto, gan ddefnyddio'r un cyfraddau cyfenwid trawsnewidiwch y symiau canlynol yn Lira:

q) £50

r) 579 Ffranc

s) 70 Peseta

t) 60 Ffranc.

C21   Mae Carwyn yn mynd ar drip Gwylio Ceirw i Sweden.
Mae o'n cyfnewid £500 am Krona yn ôl cyfradd o £1 = SKr10.35.

a) Faint o Krona mae o'n cael?
Mae'r trip yn cael ei ganslo ar y funud olaf, felly mae Carwyn yn cyfnewid y Krona yn ôl yn bunnoedd a cheiniogau. Yn awr mae'r gyfradd cyfnewid yn £1 = SKr10.75.

b) A yw Carwyn ar ei ennill ynteu ar ei golled?

c) I'r geiniog agosaf, faint o arian mae Carwyn yn ennill/golli?

1.8   Cwestiynau ar Ffactorau Trawsnewid

C22

| 1 peint = 0.568 litr |
| £1 = \$1.42 |

Pa un yw'r fargen orau, 2 beint o gwrw am
\$5.76 ynteu 1 litr o gwrw am £3.92?

C23   Defnyddiwch y graff trawsnewid isod i ddarganfod:

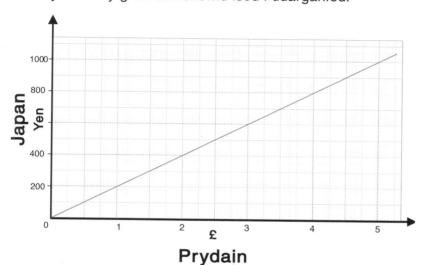

a) £4 mewn Yen
b) £3.50 mewn Yen
c) £2.25 mewn Yen
d) 250 Yen mewn £
e) 700 Yen mewn £
f) 820 Yen mewn £.

C24   Mae'r raddfa ar fap yn 1 : 10,000. Beth yw meintiau'r
canlynol mewn gwirionedd:

a) pellter o 2cm ar y map
b) pellter o 20cm ar y map
c) pellter o 70cm ar y map
d) arwynebedd o 2cm^2 ar y map?

Mae mapiau yn gymhleth, gan fod yn rhaid i chi feddwl am unedau. Mae'n well trawsnewid gan ddefnyddio'r unedau a roddir, yna trawsnewid unwaith eto i'r unedau priodol.

C25   Mae graddfa map arall yn 1 : 3,000.
Beth yw maint y canlynol ar y map:

a) gwir bellter o 5km
b) gwir bellter o 1km
c) gwir arwynebedd o 100m^2
d) gwir arwynebedd o 50m^2?

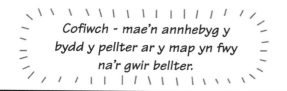

Cofiwch - mae'n annhebyg y bydd y pellter ar y map yn fwy na'r gwir bellter.

1.9   *Cwestiynau ar Dalgrynnu*

Mae talgrynnu rhif i nifer arbennig o leoedd degol neu ffigurau ystyrlon yn eithaf hawdd - pan ofynnir am werthoedd lleiaf a gwerthoedd mwyaf mae pethau'n fwy cymhleth...

C1   K = 456.9873
Ysgrifennwch K yn gywir i:

a) un lle degol
b) ddau le degol
c) dri lle degol

d) dri ffigur ystyrlon
e) ddau ffigur ystyrlon
f) un ffigur ystyrlon

C2   Mae John yn rhannu £14.30 â 3. Beth yw'r ateb yn gywir i'r geiniog agosaf?

C3   Mae carped ar ffurf petryal yn 1.8 metr o hyd a 0.7 metr o led. Rhoddir y ddau fesur yn gywir i un lle degol.
a) Nodwch hyd lleiaf posibl y carped.
b) Cyfrifwch arwynebedd mwyaf posibl y carped.

C4   Cyfrifwch y canlynol gan roi eich atebion i radd synhwyrol o fanwl gywirdeb:

a) $\dfrac{42.65 \times 0.9863}{24.6 \times 2.43}$

b) $\dfrac{13.63 + 7.22}{13.63 - 7.22}$

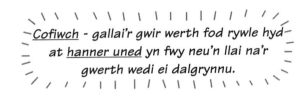
Cofiwch - gallai'r gwir werth fod rywle hyd at hanner uned yn fwy neu'n llai na'r gwerth wedi ei dalgrynnu.

C5   Mae gan Sandra barsel i'w bostio. Er mwyn darganfod faint fydd hyn yn ei gostio mae hi'n ei bwyso.
a) Mae clorian cegin, sy'n pwyso i'r 10g agosaf, yn dangos fod y parsel yn pwyso 90g. Ysgrifennwch beth yw pwysau trymaf posibl y parsel.
b) Wedyn mae hi'n pwyso'r parsel ar glorian cegin arall, sy'n fanwl gywir i'r 5g agosaf. Mae'r parsel yn pwyso 95g. Ysgrifennwch arffiniau uchaf ac isaf pwysau'r parsel yn ôl y glorian yma.
c) Mae swyddfa'r post yn pwyso'r parsel ar glorian electronig i'r gram agosaf. Mae'n pwyso 98g. A yw hi'n bosibl fod pob clorian yn gywir?

C6   Mae R = $\dfrac{S}{T}$ yn fformiwla a ddefnyddir gan froceriaid.

S= 940, yn gywir i 2 ffigur ystyrlon a T = 5.56, yn gywir i 3 ffigur ystyrlon.

a) Ar gyfer gwerth S, ysgrifennwch yr arffin uchaf a'r arffin isaf.
b) Ar gyfer gwerth T, ysgrifennwch yr arffin uchaf a'r arffin isaf.
c) Cyfrifwch yr arffin uchaf a'r arffin isaf ar gyfer R.
d) Ysgrifennwch werth R yn gywir i nifer priodol o ffigurau ystyrlon.

C7   Rhedodd Gwydion ras 100m mewn 10.3 eiliad. Os oedd yr amser yn cael ei fesur i'r 0.1 eiliad agosaf a'r pellter i'r metr agosaf, beth yw gwerth mwyaf ei fuanedd cyfartalog, mewn metrau yr eiliad?

1.9   *Cwestiynau ar Dalgrynnu*

Y tric i ddarganfod uchafswm/lleiafswm cyfrifiad yw cyfrifo gwerthoedd <u>mwyaf/lleiaf pob rhan</u>, yna <u>defnyddio'r ddau</u> yn y cyfrifiad.

C8 a) Mae hyd petryal yn cael ei fesur fel 12 ± 0.1cm. Mae lled yr un petryal yn cael ei fesur fel 4 ± 0.1cm. Cyfrifwch berimedr y petryal, ac yn ogystal rhowch y cyfeiliornad mwyaf posibl.

    b) Mae petryal yn mesur A ± xcm o hyd a B ± ycm o led. Defnyddir y fformiwla P = 2(A + B) i gyfrifo perimedr, P, y petryal. Beth yw'r cyfeiliornad mwyaf posibl yn P?

C9 Mae Tomos yn defnyddio'i gyfrifiannell newydd. Mae o'n pwyso [8] yna [√]. Beth yw'r ateb yn gywir i ddau le degol?

C10 Cyfrifwch y canlynol gan roi eich atebion i radd synhwyrol o fanwl gywirdeb:

    a) $\dfrac{18.95 \times 0.6464}{2.4 - 2.0}$ **b)** $\dfrac{324 + 7.22}{243 - 7.2}$

C11 Mae Cara yn ei phwyso ei hun ar glorian sy'n gywir i'r 10 gram agosaf. Mae'r dangosydd digidol yn dangos ei phwysau fel 64.78kg.

    a) Beth yw ei phwysau mwyaf posibl?

    b) Beth yw ei phwysau lleiaf posibl?

Dim ond ffordd arall o ddweud y gwerthoedd Mwyaf/Lleiaf posibl yw Arffiniau Uchaf/Isaf.

C12 A = 13, yn gywir i 2 ffigur ystyrlon.
B = 12.5, yn gywir i 3 ffigur ystyrlon.

    a) Ar gyfer gwerth A, ysgrifennwch yr arffin uchaf a'r arffin isaf.

    b) Ar gyfer gwerth B, ysgrifennwch yr arffin uchaf a'r arffin isaf.

    c) Cyfrifwch yr arffin uchaf a'r arffin isaf ar gyfer C pan yw C = AB.

C13 Teithiodd lori 125 o gilometrau mewn 1 awr a 50 munud. Os oedd yr amser yn cael ei fesur i'r 10 munud agosaf a'r pellter i'r pum cilometr agosaf, beth oedd gwerth mwyaf buanedd cyfartalog y lori, mewn cilometrau yr awr?

Cofiwch - nid ydych bob amser yn cael y gwerth mwyaf drwy ddefnyddio'r gwerth mewnbwn mwyaf.

C14 Mae Jim, Sara a Dylan yn cymharu eu hamseroedd gorau wrth redeg ras 1500m.
Amser gorau Jim yw 5 munud 30 eiliad wedi ei fesur i'r 10 eiliad agosaf.
Amser gorau Sara hefyd yw 5 munud 30 eiliad, ond wedi ei fesur i'r 5 eiliad agosaf.
Amser gorau Dylan yw 5 munud 26 eiliad wedi ei fesur i'r eiliad agosaf.

    a) Beth yw'r arffiniau uchaf ac isaf ar gyfer amser gorau Sara?

    b) O'r tri mae Dylan yn meddwl mai ef yw'r cyflymaf wrth redeg y ras 1500m. Eglurwch pam efallai nad yw hyn yn wir.

1.10   *Cwestiynau ar Amcangyfrif*

C1   Heb ddefnyddio'ch cyfrifiannell ewch ati i ddarganfod bras atebion ar gyfer y canlynol:

a) 6560 × 1.97

b) 8091 × 1.456

c) 38.45 × 1.4237 × 5.0002

d) 45.34 ÷ 9.345

e) 34504 ÷ 7133

f) $\dfrac{55.33 \times 19.345}{9.23}$

g) 7139 × 2.13

h) 98 × 2.54 × 2.033

i) 21 × 21 × 21

j) 8143 ÷ 81

k) 62000 ÷ 950

l) π ÷ 3

C2   Amcangyfrifwch yr arwynebedd o dan y graff.

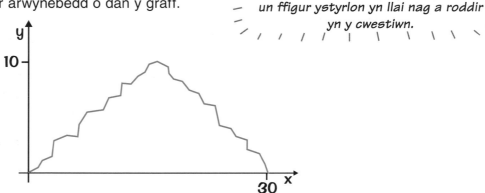

Rhowch eich ateb bob amser yn gywir i un ffigur ystyrlon yn llai nag a roddir yn y cwestiwn.

C3   Gwerthodd cadwyn o archfarchnadoedd 14634 tun o ffa pob yn ystod cyfnod o bedair wythnos.

a) Os oedd yr archfarchnadoedd yn agored bob dydd o'r wythnos, faint o ddiwrnodau gymerodd hi i werthu'r 14,634 tun o ffa pob?

b) Beth oedd y nifer cyfartalog o ffa pob a werthwyd bob dydd?

c) Dangoswch eich gwaith cyfrifo i ddarganfod amcangyfrif bras ar gyfer **b)** i wirio fod eich ateb o'r maint cywir.

C4   π yw'r nifer o weithiau mae diamedr cylch yn rhannu i mewn i'r cylchedd.
Defnyddiwyd llawer o werthoedd fel amcangyfrifon - dyma rai enghreifftiau:

$$3, \quad \frac{21}{7}, \quad \sqrt{10}, \quad \frac{255}{81}, \quad 3\frac{17}{120}$$

a) Defnyddiwch eich cyfrifiannell i roi pob amcangyfrif yn gywir i 7 lle degol.

b) Pa un yw'r amcangyfrif mwyaf cywir ar gyfer π?

C5   Gan ddangos eich holl waith cyfrifo, amcangyfrifwch werth y canlynol:

a) $\dfrac{144.5 + 49.1}{153.2 - 41.2}$

b) $\dfrac{18.2 \times 10.7}{\sqrt{398.6}}$

c) $\dfrac{2021.23 \times 4.0436}{20.33 \times 4.902}$

d) $\dfrac{(9.2)^2 \div 10.3}{4.306 - 5.011}$

Os na fyddwch chi'n dangos eich gwaith cyfrifo byddwch yn colli marciau hawdd, felly mae'n werth gwneud.

1.10   Cwestiynau ar Amcangyfrif

C6   Mae pwll nofio bychan fwy neu lai ar ffurf ciwboid. Mae dyfnder y pwll yn 0.5m, mae'r lled yn 5m ac mae'r hyd yn 9m. Cyfrifwch gyfaint y pwll mewn m³ i

a) 1 lle degol

b) 1 ffigur ystyrlon

c) Dywedwch pa un ai rhan **a)** ynteu rhan **b)** fyddai'n rhoi'r gwerth mwyaf rhesymol i'w ddefnyddio.

C7   Talgrynnwch bob un o'r canlynol i radd addas o fanwl gywirdeb:

a) 41.798g o flawd a ddefnyddir i wneud torth o fara.

b) Darn 28.274cm o bren i wneud silff.

c) 4.632g o $C_{12}H_{22}O_{11}$ (siwgr) ar gyfer arbrawf gwyddonol.

d) 2.159 litr o sudd oren a ddefnyddir mewn pwnsh ffrwythau.

e) 0.629 milltir o dŷ Colin i'r siop agosaf.

f) 32.382 milltir y galwyn.

Meddyliwch - <u>bras iawn</u>, <u>technegol</u> neu <u>gwyddonol fanwl</u> ...

C8   Amcangyfrifwch arwynebeddau'r canlynol:

a)

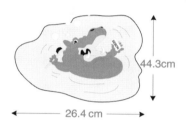

44.3cm

26.4 cm

b)

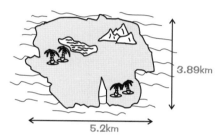

3.89km

5.2km

<u>Cofiwch,</u> rhifau cyfleus, hwylus ... <u>yna</u> ewch ati i gyfrifo.

C9   Amcangyfrifwch gyfaint y canlynol:

a)

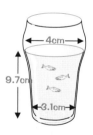

4cm

9.7cm

3.1cm

b)

10cm

22.3cm

C10   Amcangyfrifwch yr ail israddau canlynol, i un lle degol:

a) $\sqrt{48}$ b) $\sqrt{118}$ c) $\sqrt{84}$

d) $\sqrt{17}$ e) $\sqrt{98}$ f) $\sqrt{34}$

Dechreuwch gyda'r ail israddau hysbys - a'i defnyddio i wneud amcangyfrif deallus.

C11   Yna, amcangyfrifwch y rhain (sy'n anoddach) - eto, i un lle degol:

a) $\sqrt{41}$ b) $\sqrt{200}$ c) $\sqrt{130}$

d) $\sqrt{150}$ e) $\sqrt{180}$ f) $\sqrt{140}$

C12   Dyma ddilyniant o rifau sgwâr. Defnyddiwch y dilyniant i amcangyfrif (i un lle degol) yr ail israddau isod:.

12	13	14	15	16	17	18	19	20
144	169	196	225	256	289	324	361	400

a) $\sqrt{405}$ b) $\sqrt{270}$ c) $\sqrt{250}$ d) $\sqrt{375}$ e) $\sqrt{391}$

1.11 Cwestiynau ar Ddilyniannau

C1 10, 20, 15, $17\frac{1}{2}$, $16\frac{1}{4}$...
a) Ysgrifennwch y 4 term nesaf.
b) Eglurwch sut y byddech chi'n cyfrifo'r 10fed term.
c) Beth yw terfan y dilyniant?

C2 Dyma 3 therm cyntaf dilyniant: $1 \times 2, \sqrt{2} \times 3, \sqrt{3} \times 4$,
a) Ysgrifennwch y 3 therm nesaf.
b) Ysgrifennwch yr n^{fed} term yn ei ffurf symlaf.

C3 Ysgrifennwch yr n^{fed} term:
a) 1, 4, 9, 16, 25...
b) 3, 6, 11, 18, 27...
c) 1, 8, 27, 64, 125...
d) $\frac{1}{2}$, 4, $13\frac{1}{2}$, 32, $62\frac{1}{2}$...

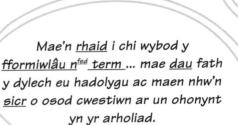

Mae'n rhaid i chi wybod y fformiwlâu n^{fed} term ... mae dau fath y dylech eu hadolygu ac maen nhw'n sicr o osod cwestiwn ar un ohonynt yn yr arholiad.

C4 Cyfrifwch y 100^{fed} term:
a) 1, 4, 9, 16 ...
b) 1, $\sqrt{2}$, $\sqrt{3}$, $\sqrt{4}$ ...
c) $\sqrt{3}$, 2, $\sqrt{5}$, $\sqrt{6}$ ...
d) $\sqrt{2}$, $\sqrt{4}$, $\sqrt{6}$, $\sqrt{8}$, $\sqrt{10}$ ...

C5 Dyma n^{fed} term dilyniant: $n(n + 1)$.
a) Ysgrifennwch y 3 therm cyntaf (n=1,2,3).
b) Eglurwch pam y mae pob term yn y dilyniant yn eilrifol.
c) Ysgrifennwch n^{fed} term dilyniant arall lle mae pob term yn eilrifol.
d) Ysgrifennwch n^{fed} term dilyniant lle mae pob term yn odrifol.

C6 Mae Jim yn defnyddio cerrig i wneud patrwm.
a) Sawl carreg fydd yn y bloc nesaf?
b) Sawl carreg fydd yn yr n^{fed} bloc?
c) Ceir 2600 o gerrig mewn bloc. Defnyddiwch eich ateb i **b)** i ddarganfod y gwerth cyfatebol ar gyfer n.

C7 Dilyniant A   1, 4, 9, 16, 25,...
Dilyniant B   3, 6, 9, 12, 15,...
Dilyniant C   2, 5, 9, 14, 20,...

a) Ysgrifennwch y tri therm nesaf yn nilyniant A.
b) Ysgrifennwch y tri therm nesaf yn nilyniant B.
c) Ysgrifennwch n^{fed} term dilyniant A.
d) Ysgrifennwch n^{fed} term dilyniant B.
e) Ceir Dilyniant C o ddilyniannau A a B. Gan ddefnyddio'r wybodaeth yma a'ch atebion i rannau **c)** a **d)** cyfrifwch yr n^{fed} term ar gyfer dilyniant C.
f) Cyfrifwch 80^{fed} term dilyniant C.

1.11 Cwestiynau ar Ddilyniannau

C8 $1, -\dfrac{1}{2}, \dfrac{1}{4}, -\dfrac{1}{8}\ldots$

Os yw'r gwahaniaeth rhwng termau bob amser yn lleihau, bydd terfan i'r dilyniant.

a) Ysgrifennwch y 3 therm nesaf.
b) Beth yw n^{fed} term y dilyniant?
c) Beth yw terfan y dilyniant?

Ni fyddwch yn cael llawer o'r rhain, a beth bynnag mae'n amlwg pan fydd hyn yn digwydd (fel yng nghwestiwn 8) felly peidiwch â phoeni gormod.

C9 Dyma 3 therm cyntaf dilyniant: $(2 \times 3)^2$, $(3 \times 4)^2$, $(4 \times 5)^2$.
a) Ysgrifennwch y 3 therm nesaf.
b) Ysgrifennwch yr n^{fed} term.

C10 Cyfrifwch y 34^{fed} term yn y dilyniannau canlynol:

a) $1, \dfrac{1}{2}, \dfrac{1}{3}, \dfrac{1}{4}\ldots$ c) $0, 3, 8, 15, 24\ldots$

b) $10, 20, 30, 40\ldots$ d) $1, x, x^2, x^3, x^4\ldots$

C11 Term cyntaf dilyniant arbennig yw 1. Mae ail derm y dilyniant hefyd yn 1.
Defnyddir y fformiwla ganlynol i ddarganfod yr n^{fed} term:
$$n^{fed} \text{ term} = (n - 1)^{fed} \text{ term} + (n - 2)^{fed} \text{ term}.$$
Cyfrifwch y trydydd, y pedwerydd a'r pumed term yn y dilyniant.

C12 Dyma bedwar term cyntaf dilyniant: x, $4x$, $9x$, $16x$.
a) Ar gyfer $x = 2$ ysgrifennwch ddau derm nesaf y dilyniant.
b) Ar gyfer $x = 2$ ysgrifennwch n^{fed} term y dilyniant.
c) Ar gyfer $x = 3$ ysgrifennwch n^{fed} term y dilyniant.
d) Ysgrifennwch yr n^{fed} term, sy'n ddilys ar gyfer unrhyw werth o x.
e) Ar gyfer $x = \frac{1}{2}$ cyfrifwch 75^{fed} term y dilyniant.

C13 Mae pob term mewn dilyniant yn gymedr y tri therm blaenorol.
a) Os yw'r tri therm cyntaf yn 1, 2, 3, beth yw'r tri therm nesaf yn y dilyniant?
b) Os yw'r tri therm cyntaf yn $x + 1$, $x + 2$, $x + 3$, beth yw'r tri therm nesaf yn y dilyniant?
c) Os yw'r tri therm cyntaf yn $\frac{1}{2}, \frac{1}{2}, \frac{1}{2}$, beth yw'r n^{fed} term?
d) Os yw'r tri therm cyntaf yn x, x, x, beth yw'r n^{fed} term?

C14 Pum term cyntaf dilyniant yw $x + 1$, $x + 2$, $x + 3$, $x + 4$, $x + 5$.
a) Ar gyfer $x = 10$ ysgrifennwch y term nesaf yn y dilyniant.
b) Ar gyfer $x = 10$ ysgrifennwch yr n^{fed} term yn y dilyniant.
c) Ar gyfer $x = 100$ ysgrifennwch yr n^{fed} term yn y dilyniant.
d) Ar gyfer $x = n$, ysgrifennwch yr n^{fed} term yn y dilyniant.
e) Ysgrifennwch yr n^{fed} term, sy'n ddilys ar gyfer unrhyw werth o x.
f) Ar gyfer $x = -400$ cyfrifwch y 400^{fed} term yn y dilyniant.

1.11   *Cwestiynau ar Ddilyniannau*

C15   Beth yw'r enw ar y dilyniannau yma a beth yw'r 3 therm nesaf ynddynt a'r n^{fed} term?
- **a)** 2, 4, 6, 8, ...
- **b)** 1, 3, 5, 7, ...
- **c)** 1, 4, 9, 16, ...
- **d)** 1, 8, 27, 64, ...
- **e)** 1, 3, 6, 10, ...

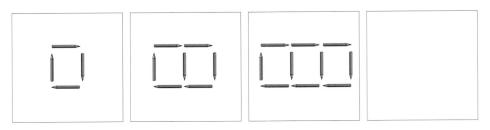

Rhowch rif i bob llun, yna gwnewch y rhain yn yr un dull ag o'r blaen

C16   Gwnaeth Graham batrwm gan ddefnyddio pensiliau:

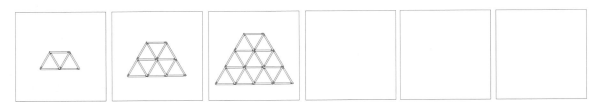

- **a)** Ysgrifennwch sawl pensil sydd ym mhob grŵp.
- **b)** Sawl pensil fyddai'n y grŵp nesaf un?
- **c)** Darganfyddwch fformiwla ar gyfer y nifer o bensiliau yn yr n^{fed} grŵp.

C17

Mae'r patrwm uchod wedi ei seilio ar drionglau unigol.
- **a)** Ysgrifennwch sawl triongl sydd ym mhob grŵp.
- **b)** Cyfrifwch sawl triongl fyddai ym mhob un o'r tri grŵp nesaf.
- **c)** Darganfyddwch fformiwla ar gyfer y nifer o drionglau yn n^{fed} term y patrwm.

C18   Defnyddir teils llwyd a gwyn i ffurfio patrwm teils sgwâr. Yn y canol bob amser ceir teilsen lwyd. Mae gweddill y patrwm wedi ei lunio o deils llwyd a gwyn, ac mae'r pedair teilsen gornel bob amser yn llwyd.
Dangosir term cyntaf y patrwm.

Cyfrifwch y fformiwla ar gyfer:
- **a)** y nifer o deils llwyd
- **b)** y nifer o deils gwyn
- **c)** cyfanswm nifer y teils.

C19   Yn y dilyniannau canlynol, ysgrifennwch y 3 therm nesaf a'r n^{fed} term:
- **a)** 7, 10, 13, 16,...
- **b)** 12, 17, 22, 27,...
- **c)** 6, 16, 26, 36,...
- **d)** 54, 61, 68, 75,...

1.11 Cwestiynau ar Ddilyniannau

C20 Mae Bryn yn casglu llythyrau i'w daid gan ei fod ar ei wyliau. Ar y diwrnod cyntaf pan oedd i ffwrdd derbyniodd 3 llythyr. Ar yr ail ddiwrnod roedd y pentwr llythyrau wedi cynyddu i 6. Erbyn y trydydd diwrnod roedd gan Bryn 9 llythyr i gyd.
Parhaodd y patrwm yma tra'r oedd ei daid i ffwrdd, a daeth yn ôl oddi ar ei wyliau ar y nawfed diwrnod.
   a) Sawl llythyr oedd yn disgwyl amdano?
   b) Sawl llythyr fyddai wedi bod yn disgwyl amdano pe byddai wedi dychwelyd ar yr n^{fed} dydd?

C21 Ysgrifennwch y tri therm nesaf a'r n^{fed} term yn y canlynol:
   a) 5, 8, 12, 17,...   **c)** 9, 12, 19, 30,...
   b) 6, 9, 14, 21,...   **d)** 14, 19, 27, 38,...

C22 Ysgrifennwch y tri therm nesaf a'r n^{fed} term yn y canlynol:
   a) 1, 4, 16, 64,...   **c)** 6, 12, 24, 48,...
   b) 3, 15, 75, 375,...   **d)** 9, 27, 81, 243,...

C23 Mae Ned yn casglu esgidiau ffansi. Er mwyn cynyddu ei gasgliad gosododd hysbyseb mewn papur newydd cenedlaethol, yn gofyn i aelodau o'r cyhoedd anfon esgidiau ffansi iddo. Y diwrnod cyntaf derbyniodd 2 esgid. Yr ail ddiwrnod roedd wedi derbyn 6 esgid i gyd. Erbyn diwedd y trydydd diwrnod roedd wedi derbyn 18 o esgidiau i gyd. Faint o esgidiau oedd Ned wedi eu derbyn erbyn diwedd y:

   a) 4^{ydd} diwrnod
   b) 6^{ed} diwrnod
   c) 10^{fed} diwrnod
   d) n^{fed} diwrnod

Mewn cwestiynau fel hyn ni ddywedir wrthych fod y patrwm yn parhau - ond gan mai dyma'r adran ar ddilyniannau, rydych yn eithaf diogel wrth dybio hynny.

C24 Ar gyfer pob un o'r dilyniannau canlynol, ysgrifennwch y tri therm nesaf:

   a) 729, 243, 81, 27,...
   b) 31250, 6250, 1250, 250,...
   c) 12288, 3027, 768, 192,...
   d) 5103, 1701, 567, 189,...

C25 Er mwyn cyfrifo'r gyfradd anweddiad, mesurodd Joanna arwynebedd pwll o ddŵr bob awr ar yr awr. Am 1300 awr roedd arwynebedd y pwll yn $128cm^2$. Awr yn ddiweddarach roedd arwynebedd y pwll yn $64cm^2$. Am 1500 awr roedd yr arwynebedd yn $32cm^2$.

   a) Beth oedd arwynebedd y pwll dŵr am 1600 awr?
   b) Beth oedd arwynebedd y pwll dŵr am 1800 awr?

2.1   *Cwestiynau ar Bolygonau Rheolaidd*

Byddant <u>yn sicr</u> o roi cwestiwn i chi ar <u>Onglau Mewnol ac Allanol</u> - byddai'n well i chi fynd ati i ddysgu'r fformiwlâu ...

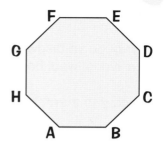

C1   Mae ABCDEFGH yn octagon rheolaidd.
Cyfrifwch faint ongl BCD.

C2

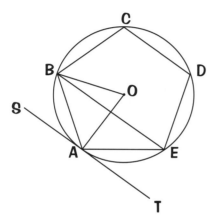

Mae ABCDE yn bentagon rheolaidd. Mae'r pentagon wedi ei lunio mewn cylch, canol O. Mae SAT yn dangiad sy'n cyffwrdd y cylch yn A.

a) Cyfrifwch faint ongl BOA.

b) Darganfyddwch faint ongl OBA.

c) Ysgrifennwch faint yr onglau canlynol:
   i) SAO
   ii) BAS

d) Yn awr ysgrifennwch faint ongl BEA gan roi rheswm dros eich ateb.

C3   Beth yw'r ongl rhwng dwy ochr gyfagos polygon 12 ochr rheolaidd?

C4   Mae cyfanswm onglau mewnol polygon rheolaidd yn 2520°. Sawl ochr sydd gan y polygon rheolaidd hwn?

C5 **a)** Rhowch ddisgrifiad llawn o'r trawsffurfiad sy'n mapio triongl ABO ar driongl DEO fel bo A wedi ei fapio ar D, B ar E ac O yn aros heb newid.

    b) Rhowch ddisgrifiad llawn o'r trawsffurfiad sy'n mapio triongl ABO ar driongl CDO fel bo A wedi ei fapio ar C, B ar D ac O yn aros heb newid.

    c) Rhowch ddisgrifiad llawn o'r trawsffurfiad sy'n mapio triongl ABO ar driongl EDO fel bo A wedi ei fapio ar E, B ar D ac O yn aros heb newid.

    d) Rhowch ddisgrifiad llawn o'r trawsffurfiad sy'n mapio triongl BOC ar driongl AFO fel bo B wedi ei fapio ar A, C wedi ei fapio ar F ac O yn aros heb newid.

    e) Rhowch ddisgrifiad llawn o'r trawsffurfiad sy'n mapio triongl ABO ar driongl AOF fel bo A ac O yn aros heb newid a B wedi ei fapio ar F.

    f) Rhowch ddisgrifiad llawn o'r trawsffurfiad sy'n mapio triongl ABO ar driongl BOC fel bo A wedi ei fapio ar B, B wedi ei fapio ar C ac O yn aros heb newid.

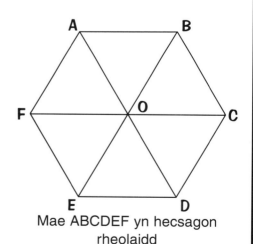

Mae ABCDEF yn hecsagon rheolaidd

2.1   Cwestiynau ar Bolygonau Rheolaidd

Cofiwch fod gan octopws wyth o goesau - mae'n octagon os oes ganddo wyth ochr!

C6   Mae ABCDEFG yn heptagon rheolaidd gyda chanol O.

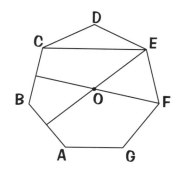

a) Gwnewch gopi o'r ffigur a marciwch yr echelin cymesuredd sy'n mapio E ar F.

b) Yn awr rhowch reswm pam y mae triongl OEF yn isosgeles.

c) Darganfyddwch faint yr onglau CDE a DCE, yn gywir i 1 lle degol.

d) Rhowch reswm pam y mae CE yn baralel i AG.

C7

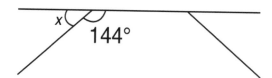

Mae'r ffigur yn dangos rhan o bolygon rheolaidd.

a) Ysgrifennwch werth yr ongl x.

b) Yn awr cyfrifwch sawl ochr sydd gan y polygon.

C8   Mae'r diagram yn dangos rhan o siâp 9 ochr rheolaidd. O yw'r canol.

Cyfrifwch faint yr onglau canlynol:

a) COD

b) OCD

c) ABC.

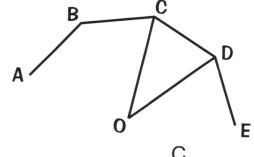

C9   Mae ABCDE yn bentagon rheolaidd â'i fertigau ar gylch, radiws 5cm a chanol O. Mae DOM yn echelin cymesuredd y pentagon ac yn torri'r cord AB yn X.

a) Cyfrifwch faint ongl BOX.

b) Darganfyddwch hyd OX. Yn awr darganfyddwch bellter M o'r cord AB.

c) Darganfyddwch hefyd hyd yr arc AM.

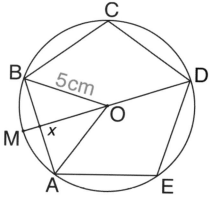

C10   Roedd Gari Wyn yn dadlau ei bod hi'n bosibl llunio polygon rheolaidd lle'r oedd pob ongl allanol yn 28°. Roedd Elis yn dweud fod hyn yn amhosibl. Pwy oedd yn gywir?

C11   Mae ongl fewnol polygon yn 168°. A yw'n bosibl i'r polygon yma fod yn un rheolaidd? Os felly, nodwch sawl ochr sydd ganddo.

C12   Mae ABCDEFGH yn octagon rheolaidd.

a) Copïwch y ffigur a marciwch yr echelin cymesuredd sy'n mapio H ar A.

b) Cyfrifwch faint ongl EFC.

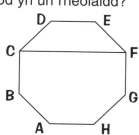

ADRAN DAU - SIAPIAU

2.2   *Cwestiynau ar Arwynebedd*

Wrth gyfrifo perimedrau, y <u>Dull Smotyn Mawr</u> yw'r <u>ffordd orau</u> o sicrhau eich bod yn cyfrif pob ochr.

C1   Mae'r diagram yn dangos cynllun o ardd Aled.
     a) Cyfrifwch berimedr yr ardd.
     b) Darganfyddwch arwynebedd yr ardd.

     Mae Aled eisiau prynu glaswellt i
     orchuddio holl arwynebedd yr ardd.
     Gwerthir glaswellt fesul unedau o 4m².
     c) Cyfrifwch sawl uned fydd ei hangen ar Aled i orchuddio'r holl ardd.
     d) Mae glaswellt yn costio £7.90 yr uned a £12.50 am y cludiant. Darganfyddwch gyfanswm cost
     y glaswellt a'r cludiant.

C2   Mae darn 45m o ffoil coginio yn 45cm o led. Darganfyddwch arwynebedd y ffoil ar y rholyn
     mewn m².

C3   Mae'r diagram yn dangos trapesiwm ABCD lle mae DC yn baralel i AB.

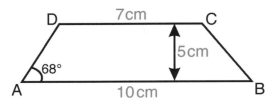

     a) Mae ongl BAD = 68°. Beth yw maint ongl ADC?
     b) AB = 10cm. CD = 7cm. Mae'r pellter
     perpendicwlar rhwng yr ochrau paralel yn 5cm.
     Cyfrifwch arwynebedd y trapesiwm.

C4   Mae ABCDE yn bentagon. Gweler y diagram.
     a) Mae hyd BC = 1.8m ac ongl CBG = 20°.
     Cyfrifwch hyd BG.
     b) Mae hyd AB = 5m a hyd AH = 0.8m.
     Cyfrifwch hyd BH.
     c) Darganfyddwch uchder CF y pentagon.
     d) O wybod bod y pentagon yn gymesur o boptu ei
     uchder cyfrifwch:
       i) led AE y pentagon
       ii) arwynebedd y pentagon ABCDE.

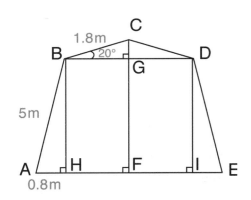

*Cyfrifwch yr arwynebeddau unigol yn gyntaf, yna adiwch
nhw at ei gilydd neu tynnwch ddarnau i ffwrdd i gael yr
arwynebedd sydd ei angen arnoch. Syml iawn!*

C5   Mae a, b ac h yn dynodi hydoedd. Pa fformiwlâu sy'n cynrychioli arwynebeddau?
     a) $\pi(a + b)$
     b) $\pi h(a + b)^2$
     c) $\pi^2 h$
     d) $\pi(a + b)h$
     e) $\pi(a + b)h^2$

*<u>Cofiwch:</u> -
Os yw r yn hyd, yna mae
r^2 yn arwynebedd ac
mae r^3 yn gyfaint.*

2.2   *Cwestiynau ar Arwynebedd*

C6   Mae'r diagram yn dangos dimensiynau bocs agored.

a) Ysgrifennwch fynegiad yn nhermau x ar gyfer cyfanswm arwynebedd arwyneb y bocs agored (A). Symleiddiwch y mynegiad yma cyn belled ag sydd bosibl.

b) Cwblhewch y tabl isod ar gyfer gwerthoedd x ac A.

x	2	4	6	8	10	12	14	16
A		128			620			

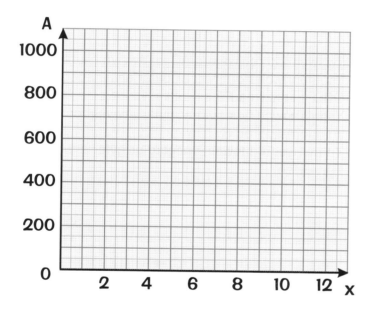

c) Lluniwch graff o A mewn perthynas ag x.

d) Gan ddefnyddio'ch graff ysgrifennwch werth x sy'n rhoi arwynebedd o 300cm².

C7   Bydd pwll tywod yn cael ei osod mewn cae chwarae. Mae'r pwll ar ffurf silindr, diamedr 5m ac uchder 0.8m. Mae'n rhaid leinio gwaelod y pwll a'r waliau â darnau o ddeunydd plastig. Darganfyddwch:

a) arwynebedd y pwll tywod fydd angen ei leinio

b) y nifer o ddarnau o ddeunydd plastig fydd eu hangen os yw pob darn ar ffurf petryal 1.3m o hyd a 0.5m o led.

Mae màs 1m³ o dywod yn 1.4 tunnell fetrig. Darganfyddwch y canlynol:

c) cyfaint y tywod fydd ei angen mewn m³

d) màs y tywod fydd ei angen, i'r dunnell fetrig agosaf.

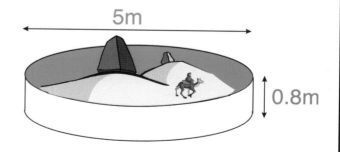

2.2   *Cwestiynau ar Arwynebedd*

Cofiwch beth ddywedwyd ynglŷn â'r cwestiynau arwynebedd anodd yma - byddwch yn eu gweld yn eithaf hawdd os byddwch yn eu rhannu yn siapiau syml.

C8   Gwneir stribedyn plastig ar y ffurf a ddangosir yn y diagram.
Mae'r cromliniau AC a BD yn ddwy arc sy'n perthyn i gylchoedd, canol O. Mae radiws y cylch mwyaf yn 30mm a radiws y cylch lleiaf yn 20mm.
Mae dau ben y siâp, wedi eu tywyllu, yn hanner cylchoedd.

a) Darganfyddwch arwynebedd y siâp ABDC.
b) Darganfyddwch arwynebedd y ddau ben hanner cylch.
    Yn awr ysgrifennwch arwynebedd y siâp cyfan.

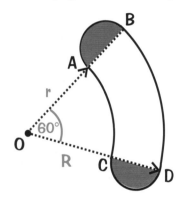

Tybiwch fod radiws arc AC yn awr yn r a radiws BD yn R.
c) Ysgrifennwch fformiwla ar gyfer arwynebedd y sector OBD yn nhermau R.
d) Ysgrifennwch fynegiad ar gyfer arwynebedd y siâp ABDC yn nhermau r ac R.
e) Yn awr ysgrifennwch fynegiad ar gyfer arwynebedd y siâp cyfan.

C9   Mae ABCD yn gae lle mae AB = 100m, BC = 90m a CD = 60m. Mae DE yn ffens ar draws y cae ac mae EA = xm.

a) Darganfyddwch arwynebedd y cae ABCD.
b) Darganfyddwch fynegiad yn nhermau x ar gyfer arwynebedd y triongl DEA.
c) Mae'r ffens DE wedi ei gosod yn y fath fodd fel bo cymhareb arwynebedd y triongl DEA : arwynebedd y trapesiwm BEDC = 3 : 5.
  i) Darganfyddwch werth x ar gyfer y gymhareb yma.
  ii) Ysgrifennwch arwynebedd triongl DEA gan ddefnyddio gwerth x sydd yn **i)**.

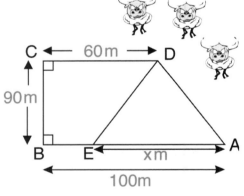

C10

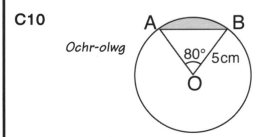

Ochr-olwg

O'r ochr mae pelen powdr golchi dillad yn edrych fel cylch lle mae'r rhan dywyll wedi ei hepgor. Mae gan y cylch radiws o 5cm ac mae'r ongl AOB = 80°.
a) Darganfyddwch arwynebedd y sector OAB.
b) Darganfyddwch arwynebedd y triongl AOB ac yna arwynebedd y rhan dywyll.

2.3 Cwestiynau ar Gyfaint

Sicrhewch eich bod chi'n gwybod y <u>4 prif fformiwla ar gyfer cyfaint</u> - <u>sfferau, prismau, pyramidiau, conau.</u>

C1 Mae a, b ac h yn hydoedd. Pa rai o'r fformiwlâu canlynol allai gynrychioli cyfaint? Rhowch reswm dros eich ateb.

a) πabh

c) $\pi h^2(a + b)$

b) $\pi(a + b)h$

d) $\pi h^2(a + b)^2$

C2 Mae Ioan yn prynu cloch wydr er mwyn diogelu ei blanhigion rhag rhew. Mae croestoriad y gloch yn hanner cylch, diamedr 70cm a hyd o 3m.

a) Darganfyddwch arwynebedd y trawstoriad.

b) Yna darganfyddwch gyfaint y gloch.

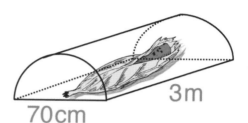

C3 Mae gen i bwll crwn yn fy ngardd sydd wedi ei amgylchynu â phalmant crwn. Mae dyfnder y pwll yn 35cm. Mae'r pwll yn llawn o ddŵr.

a) Darganfyddwch gyfaint y dŵr sydd yn y pwll pan fydd yn llawn.

b) Darganfyddwch arwynebedd y palmant sy'n amgylchynu'r pwll.

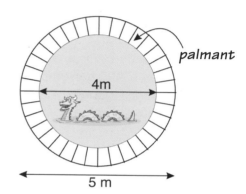

C4

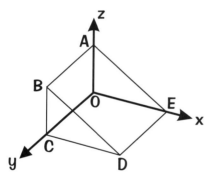

Mae'r diagram yn dangos prism trionglog.
Cyfesurynnau A yw (0,0,5).
Cyfesurynnau E yw (4,0,0).
Cyfesurynnau C yw (0,8,0).

a) Ysgrifennwch gyfesurynnau'r canlynol:

i) B

ii) D.

b) Cyfrifwch gyfaint y prism.

C5 Mae uchder ciwboid yn xm, a'i led yn (3−x)m a'i hyd yn (5−x)m.

a) Ysgrifennwch fynegiad ar gyfer cyfaint y ciwboid.

b) Cwblhewch y tabl gwerthoedd gan ddefnyddio'ch mynegiad ar gyfer cyfaint y ciwboid.

x	0	1	2	3
C			6	

c) Lluniwch graff o C mewn perthynas ag x ar gyfer $0 \leqslant x \leqslant 3$.

d) Defnyddiwch eich graff i ddarganfod cyfaint mwyaf y ciwboid.

e) Darganfyddwch arwynebedd arwyneb y ciwboid pan fo'r cyfaint ar ei fwyaf.

f) Mae cyfaint ciwboid arbennig yn 6m³. Gan ddefnyddio'ch graff i ddarganfod dau werth posibl x, darganfyddwch gyfanswm mwyaf arwynebedd arwyneb y ciwboid ar gyfer y cyfaint yma.

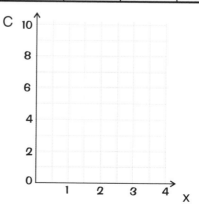

2.3   *Cwestiynau ar Gyfaint*

C6   Prynodd Bil sied arddio newydd.
Dangosir y dimensiynau yn y diagram.
Darganfyddwch y canlynol:
   a) arwynebedd y trawstoriad
   b) cyfaint y sied
   c) hyd AB
   d) cyfanswm arwynebedd y to.

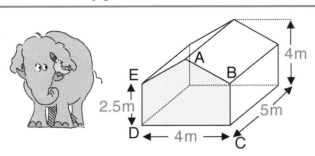

C7

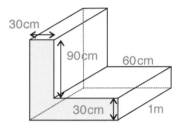

Mae Jill yn prynu silff lyfrau. Dangosir y dimensiynau yn y diagram.
   a) Darganfyddwch arwynebedd y trawstoriad.
   b) Darganfyddwch gyfaint y silff lyfrau mewn m³.

C8   Mae Bysiau Williams Cyf yn penderfynu gosod
lloches fysiau ger eu prif arhosfan yn y dref.
Dangosir y dimensiynau yn y diagram.
   a) Darganfyddwch arwynebedd trawstoriad y
lloches.
   b) Darganfyddwch gyfaint y lloches.

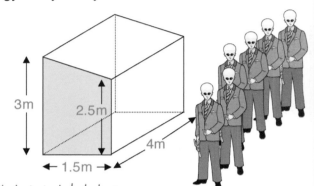

Nid yw prismau mor gymhleth â hynny. Dim ond solidau ydynt â'r un siâp yn union o un pen i'r llall. Yr unig ran sydd efallai'n cymryd amser yw darganfod arwynebedd y trawstoriad.

C9   Mae amserydd berwi wy yn gymesur ac yn cynnwys hemisfferau,
silindrau a chonau wedi eu cysylltu â'i gilydd. Gweler y diagram.
   a) Cyfrifwch gyfaint y tywod sydd yn y cynhwysydd uchaf.
       Mae tywod yn llifo i'r rhan isaf ar gyfradd gyson o 0.05cm³ yr eiliad.

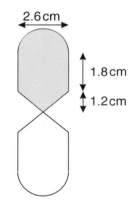

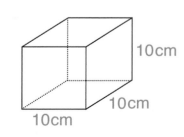

Ar ddiwedd amser penodol mae'r tywod wedi disgyn i'r
cynhwysydd isaf fel y dengys y diagram.
   b) Pa mor uchel **(u)** mae'r tywod wedi codi yn rhan silindrog y
cynhwysydd isaf?
   c) Faint o amser gymerodd hi i'r tywod ddisgyn i gyrraedd yr
uchder yma?

C10   Mae ciwb metel ag ochrau 10cm o hyd yn
cael ei doddi i wneud silindr 10cm o uchder.
Beth yw radiws y silindr yma?

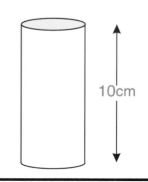

2.3 Cwestiynau ar Gyfaint

Peidiwch â phoeni pan roddir cyfeintiau hylifau yn unig i chi. Rydych yn dal i ddefnyddio'r un hafaliadau cyfaint, ond mae'n rhaid i chi eu haildrefnu ychydig. Rhowch gynnig arni.

C11 Dangosir dimensiynau mwg yn y diagram.
- **a)** Beth yw'r cyfaint mwyaf o laeth all y mwg ei ddal?
- **b)** Mae 600cm³ o laeth yn cael ei dywallt i'r mwg.
  Beth fydd uchder y llaeth yn y mwg?

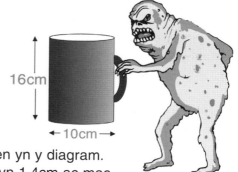

16cm

10cm

C12

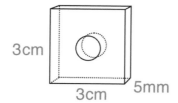

3cm
3cm 5mm

Dangosir trawstoriad nyten yn y diagram.
Mae diamedr y twll crwn yn 1.4cm ac mae trwch y nyten yn 5mm.
Darganfyddwch gyfaint y nyten mewn cm³.

(Unedau)

C13

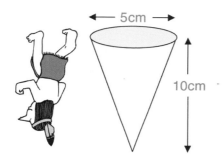

5cm

10cm

Mae côn hufen iâ yn 10cm o ddyfnder ac mae diamedr y gwaelod yn 5cm. Mae'r côn yn cael ei lenwi â hufen iâ ac mae hemisffer o hufen iâ yn cael ei osod ar ei ben fel bo gwaelod yr hemisffer yn cyd-daro â gwaelod y côn.

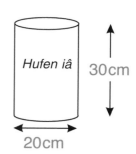

Hufen iâ 30cm

20cm

- **a)** Cyfrifwch gyfaint yr hufen iâ sydd ei angen i wneud un hufen iâ.
- **b)** Sawl hufen iâ ellir ei wneud o silindr â diamedr o 20cm a 30cm o uchder, sydd yn dri chwarter llawn?

C14

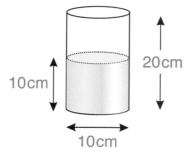

20cm
10cm
10cm

Mae dŵr yn cael ei dywallt i gynhwysydd silindrog â diamedr 10cm ac uchder 20cm nes y bydd y dyfnder yn 10cm. Wedyn mae 3,200 marblen unfath yn cael eu suddo yn y dŵr. Mae'r dyfnder yn cynyddu i 18cm. Cyfrifwch radiws un farblen.

C15 Mae dŵr yn llifo i bob un o'r ddau gynhwysydd yma ar gyfradd gyson. Ar gyfer pob cynhwysydd, gwnewch fraslun o graff dyfnder y dŵr mewn perthynas ag amser.

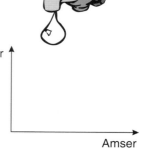

Dyfnder

Cynhwysydd A   Amser

Dyfnder

Cynhwysydd B   Amser

ADRAN DAU - SIAPIAU

2.4 *Cwestiynau ar Rwydi*

Mae 4 o rwydi y bydd angen i chi eu gwybod yn iawn:
1) *Prism Trionglog*, 2) *Ciwb*, 3) *Ciwboid*, 4) *Pyramid*. Ond cofiwch gallant roi unrhyw beth i chi yn yr arholiad.

C1

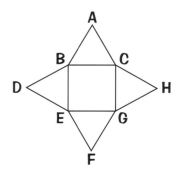

Mae'r diagram yn dangos rhwyd solid lle mae ABC yn driongl hafalochrog, a BCGE yn sgwâr.
a) Pa bwyntiau fydd yn cyd-daro ag A pan fydd y rhwyd yn cael ei phlygu i ffurfio'r solid?
b) Disgrifiwch gymesuredd y rhwyd.
c) Faint o wynebau, ymylon a fertigau sydd gan y rhwyd pan fydd ar ffurf solid?

C2   Mae gan byramid sylfaen sgwâr, ochr 3 uned. Mae ei uchder, AB yn 1 uned ac A yw canolbwynt y sgwâr.
a) Nodwch gyfesurynnau B.
b) Cyfrifwch yr ongl rhwng ymyl OB ac OA.
c) Gwnewch fraslun o rwyd ar gyfer y pyramid.

Pan fyddwch yn llunio rhwyd, dychmygwch eich bod yn defnyddio cerdyn i wneud y siâp.

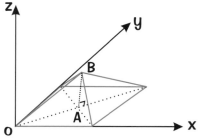

C3   Mae'r diagram yn dangos rhwyd ciwb ag ymyl 8cm.

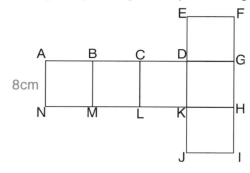

a) Pa bwynt sy'n cyd-daro ag M pan fydd y rhwyd yn cael ei phlygu i ffurfio'r ciwb?
b) Darganfyddwch arwynebedd yr wyneb DGHK.
c) Beth yw cyfanswm arwynebedd arwyneb y ciwb?
d) Lluniwch luniad wrth raddfa 3-D o'r ciwb gorffenedig.

C4   Mae'r diagram yn dangos rhwyd solid. Mae EFGH yn sgwâr sy'n ffurfio'r sylfaen. Mae trionglau ABC, BCD, CDE ac CFE yn drionglau hafalochrog. Hyd GH = 6cm.
a) Pa siâp yw'r solid ar ôl iddo gael ei gydosod?
b) Pa bwynt sy'n cyd-daro â B pan fydd y rhwyd wedi ei chydosod i ffurfio'r solid?
c) Os yw X yn ganolbwynt FE, dangoswch fod CX yn 5.20cm.
d) Beth yw cyfanswm arwynebedd arwyneb y solid?
e) Beth yw uchder y solid?

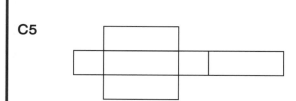

C5

Mae'r diagram yma'n dangos rhwyd bocs petryalog gyda chaead. Gwnewch fraslun o rwyd wahanol ar gyfer yr un bocs.

2.4   *Cwestiynau ar Rwydi*

C6   Pa un o'r ddwy rwyd yma fydd yn ffurfio pyramid sylfaen trionglog lle bydd y pedwar wyneb yn drionglau hafalochrog?

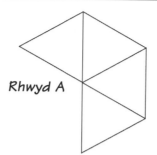

Rhwyd A

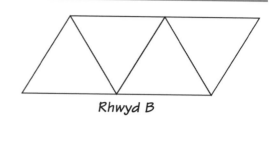

Rhwyd B

C7   Mae rhwyd yn cael ei thorri o betryal cardbord. Gweler y diagram.

a) Dangoswch fod y rhwyd yn ffurfio bocs heb gaead drwy lunio'r solid, ac ychwanegu'r holl fesuriadau yn nhermau x.

b) Ysgrifennwch fynegiad ar gyfer cyfaint C y bocs yn nhermau x.

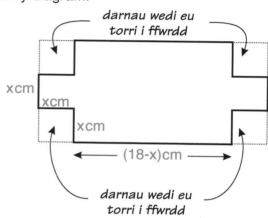

darnau wedi eu torri i ffwrdd

xcm   xcm   xcm

(18-x)cm

darnau wedi eu torri i ffwrdd

c) Llenwch werthoedd C yn y tabl yma.

x	8	10	12	14	16
C		800			

d) Lluniwch graff o C yn erbyn x.

e) Defnyddiwch eich graff i ysgrifennu gwerth x sydd yn rhoi gwerth mwyaf y cyfaint. Yn awr ysgrifennwch y cyfaint mwyaf hwn.

f) Cyfrifwch arwynebedd yr arwyneb pan geir gwerth mwyaf y cyfaint.

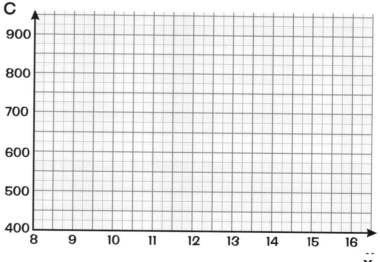

C8   Mae'r diagram yn dangos lluniad isomedrig o brism trionglog.

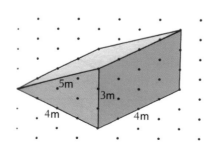

5m   3m   4m   4m

Lluniwch:
a) y blaen-olwg
b) yr ochr-olwg
c) y cynllun.

2.5 Cwestiynau ar Locysau a Lluniadau

Peidiwch â gadael i air rhyfedd fel <u>locws</u> eich dychryn - mae hon <u>yn ffordd hawdd o ennill marciau</u>, ond mae'n rhaid i chi weithio'n daclus, gan ddefnyddio pensil, pren mesur a chwmpas.

C1 Yn y petryal:
a) lluniwch locws y pwyntiau sydd 5cm o D
b) lluniwch locws y pwyntiau sy'n gytbell o A a D
c) defnyddiwch X i nodi'r pwynt y tu mewn i'r petryal sydd 5cm o D ac sy'n gytbell o A a D.

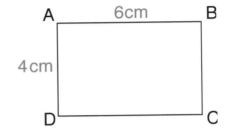

C2 Lluniwch driongl PQR yn fanwl gywir gyda hyd PQ = 10.5cm, ongl PQR = 95° ac ongl RPG = 32°.
a) Lluniwch hanerydd perpendicwlar y llinell PR. Nodwch y pwynt A lle mae'r hanerydd yn croesi'r llinell PQ.
b) Hanerwch ongl PRQ. Nodwch y pwynt B lle mae'r hanerydd yn croesi'r llinell PQ. Mesurwch hyd BA.

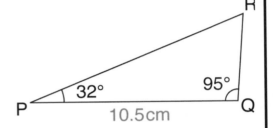

C3 Er mwyn ennill bet, roedd yn rhaid i ddyn gerdded o amgylch ei dŷ gan gadw 3m oddi wrtho yr holl ffordd.
Gan ddefnyddio graddfa o 1m i 1cm lluniwch locws symudiad y dyn o amgylch y tŷ yn glir ar eich diagram

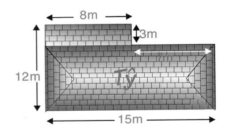

C4 Mae A a B yn 2 bwynt ar arfordir syth. Mae'r ddau bwynt 4km oddi wrth ei gilydd ac mae A yn union i'r Gorllewin o B.

a) Disgrifiwch locws pwyntiau P fel bo ongl APB yn hafal i 90°.
b) Gan ddefnyddio graddfa o 2cm i 1km lluniwch ddiagram manwl gywir sy'n dangos A, B, yr arfordir a locws P.
   Cyfeiriant craig o A a B yw 060° a 300° yn eu trefn.
c) Dangoswch y graig ar eich diagram. Rhowch X i farcio'i lleoliad.
d) Mae llong sy'n teithio yn union i'r Dwyrain, yn baralel i'r arfordir, yn osgoi'r graig drwy ddilyn locws P. Pa mor agos at y graig mae'r llong yn hwylio?

C5 Lluniwch driongl PQR gyda hyd PQ = QR = 11.5cm ac ongl PQR = 38°.
a) Lluniwch haneryddion onglau QPR a QRP.
   Marciwch y pwynt O lle mae'r 2 hanerydd yn croesi.
b) Gyda chanol O, lluniwch y cylch sy'n cyffwrdd ochrau PQ, PR a QR y triongl. Beth yw radiws y cylch yma?

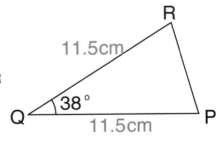

2.5   Cwestiynau ar Locysau a Lluniadau

Yn anffodus nid yw pwyntiau bob amser yn ffurfio llinell daclus - maen nhw'n gorchuddio arwynebedd cyfan a gofynnir i chi dywyllu'r rhan sy'n cynnwys yr holl bwyntiau.

C6 Dyma gynllun o ystafell Glyn. Er mwyn cadw'n gynnes mae'n rhaid i Glyn aros o fewn 2m i'r wal lle mae'r gwresogydd. Er mwyn gallu gweld trwy'r ffenestr mae'n rhaid iddo fod o fewn 1.5m i wal y ffenestr.

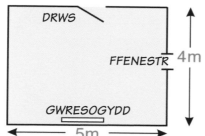

a) Gan ddefnyddio graddfa o 2cm i 1m lluniwch gynllun o ystafell Glyn.

b) Tywyllwch y rhan lle bydd yn rhaid i Glyn fod os yw'n dymuno cadw'n gynnes ac edrych allan drwy'r ffenestr.

C7 Mae trac rhedeg wedi ei gynllunio fel bo pob pwynt ar y trac 32.5m o linell benodol AB, sy'n 100m o hyd.

a) Lluniwch locws y pwynt.

b) Cyfrifwch y pellter unwaith o amgylch y trac rhedeg.

C8 Mae'r diagram yn dangos cynllun o ardd gefn Jim. Mae ffens ar ddwy ochr i'r ardd ac mae waliau'r tŷ a'r garej ar yr ochrau eraill. Mae'r ardd ar ffurf petryal.

a) Gan ddefnyddio graddfa o 1cm i 1m lluniwch gynllun o ardd Jim.

b) Mae Ben, y ci defaid cyfeillgar, wedi ei glymu wrth y garej yn B wrth gadwyn 3m o hyd. Gwnewch luniad manwl gywir a thywyllu'r rhan o'r ardd lle gall Ben grwydro.

c) Mae Jim eisiau plannu coeden yn yr ardd. Mae'n rhaid i'r goeden gael ei phlannu ymhellach na 5m oddi wrth waliau'r tŷ a mwy na 4m o'r ddwy ffens. Ar y cynllun o'r ardd, ewch ati i lunio, yn fanwl gywir, rhan lle gall Jim blannu ei goeden, a'i thywyllu.

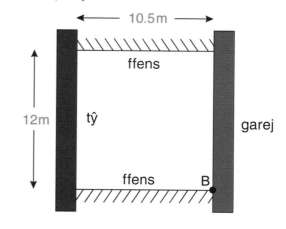

C9 Mae'n bosibl darganfod lleoliadau dwy ynys A a B o'r wybodaeth ganlynol:
Mae A wedi ei lleoli 35km o'r lanfa J ar gyfeiriant o 065°. Mae B yn union i'r de o A ac ar gyfeiriant o 132° o J. Gweler y diagram isod.

a) Gan ddefnyddio graddfa o 1cm i 5km, lluniwch gynllun manwl gywir i ddangos lleoliadau J, A a B.

b) Defnyddiwch eich lluniad i ddarganfod y pellter rhwng ynysoedd A a B, mewn km.

c) Mae cwch yn gadael y lanfa am 09.00 ac yn cyrraedd A am 11.30. Beth yw buanedd cyfartalog y cwch mewn km/awr?

d) Mae goleulong L 20km o J, yn gytbell o A a B ac ar yr un ochr i J ag A a B. Marciwch L ar y lluniad.

e) Darganfyddwch gyfeiriant J o L.

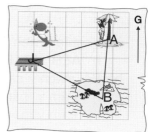

C1   Yn y diagram mae hyd GD = hyd GF ac mae llinell AC
yn baralel i'r llinell EG.
Ysgrifennwch faint yr onglau canlynol, gan roi rhesymau
dros eich atebion:

a) ongl DFG

b) ongl EFH

c) ongl DBC.

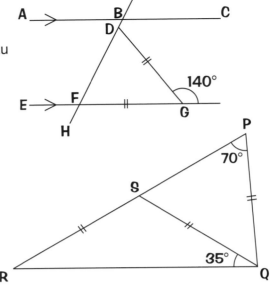

C2   Yn y diagram mae hyd SR = hyd SQ = hyd PQ. Mae
ongl SQR = 35° ac ongl RPQ = 70°. Darganfyddwch:

a) ongl PQS

b) ongl RSQ
– gan roi rhesymau dros eich atebion.

c) Eglurwch pam y mae RSP yn llinell syth.

 *Rheolau ar gyfer onglau - mae llawer iawn ohonynt ... ac mae'n rhaid
i chi eu gwybod. Felly, ewch ati i'w dysgu.*

C3

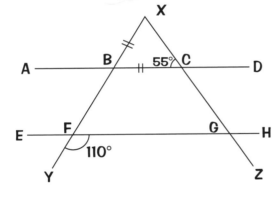

Yn y diagram mae hyd BX = hyd BC.

a) Cyfrifwch ongl XBC gan roi rheswm dros
eich ateb.

b) Rhowch reswm pam y mae AD yn baralel i
EH.

c) Ysgrifennwch faint ongl CGF.

C4

a) Copïwch y ffigurau a llenwch yr holl onglau
sydd ar goll.

b) Eglurwch pam y mae hyd EB = hyd EC.

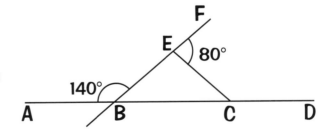

C5   Mae hydoedd CB, CA a CD yn hafal. Mae ongl ACD = 52° ac ongl BAC = 58°.

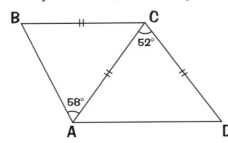

a) Ysgrifennwch faint yr onglau canlynol:
   i)   BCA
   ii) CAD

b) Rhowch reswm pam y mae BC yn baralel i AD.

c) Tynnwch linell o B i D. Darganfyddwch ongl CBD.

C6

a) Ysgrifennwch faint yr onglau canlynol:
   i) AEB   ii) ECD   iii) ECB

b) Eglurwch y canlynol:
   i)   Pam y mae llinell DA yn baralel i'r llinell CB?
   ii) Pam y mae hyd EC = hyd ED?
   iii) Pam nad yw llinell EB yn baralel i'r llinell DC?

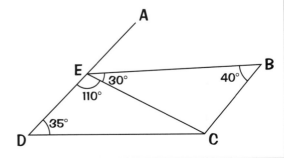

2.6   *Cwestiynau ar Geometreg*

C7   Copïwch y ffigur a llenwch yr onglau sydd ar goll.

     a) Eglurwch pam y mae:
        i)   CA = AB
        ii)   CA = CD
        iii) CA = CE

     b) Eglurwch pa linell sy'n baralel i BE.

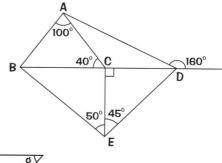

C8   Darganfyddwch yr onglau sydd wedi eu marcio o a i g.

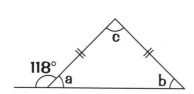
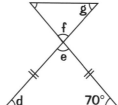

C9   Yn y trapesiwm ABCD: mae hyd AB = hyd BC, ongl ABC = 142°, ongl DAC = 90° a'r llinell AB yn baralel i'r llinell DC.

     Cyfrifwch yr onglau canlynol gan roi rhesymau dros eich atebion:

     a) BAC
     b) ACD
     c) ADC.

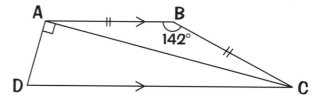

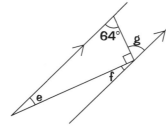

Cofiwch chwilio am y saethau arwyddocaol - os gwelwch fod llinellau yn baralel, bydd hynny'n gymorth mawr (cyhyd ag y byddwch yn cofio rheolau llinellau paralel).

C10   Darganfyddwch yr holl onglau sydd wedi eu marcio o a i n.

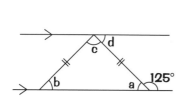

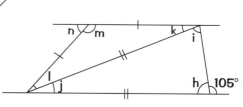

C11   Mae hyd DA = hyd DC. Mae hyd CA = hyd CB. Mae'r llinell DA yn baralel i'r llinell CE a'r ongl FCG = 66°.

     Darganfyddwch yr onglau canlynol, gan roi rhesymau dros eich atebion:

     a) ACB
     b) DAC
     c) ABC
     d) ABE
     e) ADC.

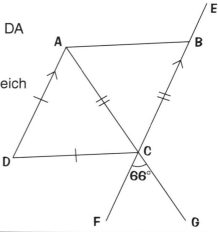

2.6 Cwestiynau ar Geometreg

Onglau, onglau a mwy o onglau - dyna yw geometreg.
Ac os gallwch gofio'r holl reolau mae'r gwaith yn eithaf hawdd

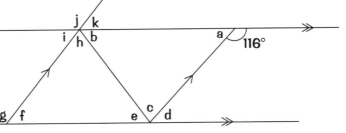

C12 Darganfyddwch faint yr onglau
sydd wedi eu marcio o a i k.

C13 Sgwâr yw ABCD a thriongl hafalochrog yw DEC.
Cyfrifwch yr onglau canlynol gan roi rhesymau:

a) EDF

b) DFC

c) BFC.

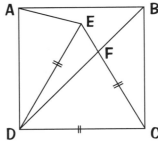

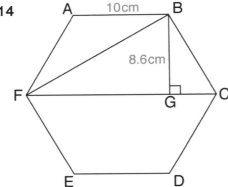

C14

Hecsagon rheolaidd yw ABCDEF ag ochr 10cm.

a) Ysgrifennwch swm ei onglau mewnol.

b) Cyfrifwch faint yr ongl AFB.

c) Rhowch reswm pam y mae llinell FC yn baralel i linell AB.

d) Mae hyd BG = 8.6cm ac mae hyd llinell FC ddwywaith
hyd llinell AB.

i) Cyfrifwch hyd CG.

ii) Darganfyddwch arwynebedd triongl BGC.

iii) Cyfrifwch arwynebedd yr hecsagon.

C15 Yn ABCD, mae AB yn baralel i DC a DB = BC. Mae ongl DBC = 70° ac ongl DAB = 55°.

a) Darganfyddwch ongl BCD ac ongl ABD gan
roi rhesymau dros eich ateb.

b) Dangoswch fod triongl DAB yn isosgeles.

c) Rhowch reswm pam y mae AD yn baralel i BC.

d) Nodwch y cymesureddau sydd gan bedrochr
ABCD a dywedwch pa fath o bedrochr yw ABCD.

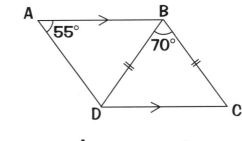

C16 Yn y diagram mae llinell AB yn baralel i linell FC
ac mae llinell AE yn baralel i linell BD.
Mae ongl BDC = 75° ac ongl ADE = 35°.

Ysgrifennwch faint yr onglau canlynol, gan roi
rhesymau dros eich atebion:

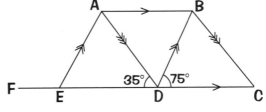

a) BCD

b) DBC

c) ADB

d) AEC

e) EAD

f) DAB

2.6 *Cwestiynau ar Geometreg*

Y peth gorau i'w wneud yma yw darganfod yr onglau yn y drefn sy'n ymddangos fwyaf amlwg. Rhowch gynnig ar bob rheol yn ei thro a bydd un yn sicr o weithio.

C17 Pentagon rheolaidd yw ABCDE.
  a) Cyfrifwch faint ongl BAE.
  b) Ewch ati i ddiddwytho maint yr onglau canlynol:
    i) AEB
    ii) BED.
  c) Gwnewch gopi o'r ffigur a marciwch yr echelin cymesuredd sy'n mapio D ar E.
  d) Ewch ati i ddiddwytho maint ongl EBD.

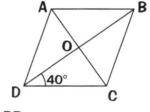

Cofiwch, wrth wneud geometreg, po fwyaf o gwestiynau wnewch chi, hawsaf yn y byd fydd y gwaith.

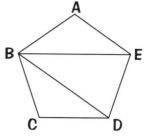

C18 Cyfrifwch onglau x, y a z yn y diagram.

C19 Rhombws yw ABCD. Mae llinellau AC a BD yn echelinau cymesuredd. Mae ongl BDC = 40°. Cyfrifwch:
  a) ongl CBD
  b) ongl CBA
  c) ongl BCA.

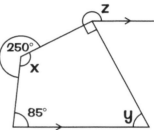

C20 Triongl yw ABC ac mae'r hyd BC yn hafal i'r hyd BD. Cyfrifwch y canlynol, gan roi rhesymau:
  a) ongl DCB
  b) ongl ABC.

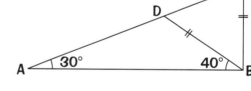

C21

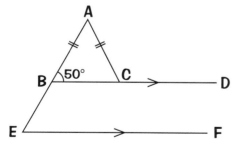

Triongl yw ABC lle mae hydoedd AB ac AC yn hafal. Mae llinellau BD ac EF yn baralel ac ongl ABC = 50°. Ysgrifennwch faint yr onglau canlynol:
  a) BEF
  b) BAC
  c) ACD.

C22 Barcut yw ABCD. Mae hyd AX = 5cm a hyd BX = 3cm. Cyfrifwch y canlynol, i'r radd agosaf:
  a) Ongl ABC
  b) Ongl BAC.

Os yw BAD = 110° cyfrifwch:
  c) ongl CAD
  d) hyd DX, yn gywir i 3 ffigur ystyrlon.

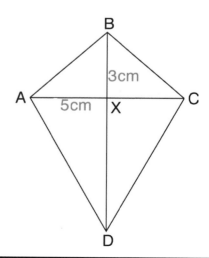

2.7 Cwestiynau ar Geometreg Cylchoedd

Pan oeddech yn dechrau meddwl fod geometreg yn hawdd mae'n rhaid i chi nawr ddechrau meddwl am gylchoedd.

Gwich.

C1 Pedrochr cylchol yw ABCD ac y mae ongl BCD = 100°.
Mae EF yn dangiad sy'n cyffwrdd y cylch yn A.
Mae ongl DAF = 30°.
Ysgrifennwch faint yr onglau:
a) BAD
b) EAB.

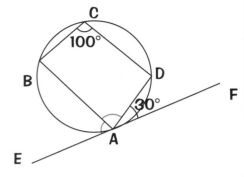

C2

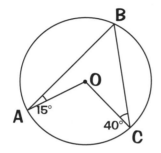

Pwyntiau ar gylchyn cylch yw A, B ac C, ac O yw'r canol.
Mae ongl BAO = 15° ac ongl BCO = 40°. Darganfyddwch:
a) ongl ABC
b) ongl AOC

C3 Pwyntiau ar gylchyn cylch, canol O, yw A, B, C, D ac E.
Mae ongl BDE = 53°. Mae'r llinell AF yn dangiad sy'n cyffwrdd y cylch yn A.
Mae ongl EAF = 32°. Darganfyddwch:
a) ongl BOE
b) ongl ACE.

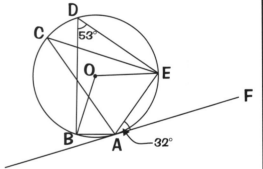

C4 Pedrochr cylchol yw ABCD ac mae'r tangiad sy'n cyffwrdd y cylch yn A yn ffurfio ongl o 70° ag ochr AD.
Mae ongl BCA = 30°. Ysgrifennwch feintiau'r canlynol, gan roi rheswm dros eich ateb.
a) ongl ACD
b) ongl BAD.

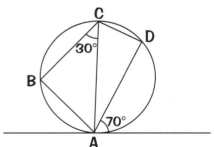

C5

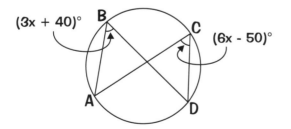

Pwyntiau ar gylchyn cylch yw A, B, C a D. Mae ongl ABD = (3x + 40)°
ac mae ongl ACD = (6x − 50)°.
a) Rhowch reswm pam y mae ongl ABD ac ongl ACD yn hafal.
b) Ffurfiwch hafaliad yn cynnwys x a thrwy ei ddatrys, darganfyddwch faint ongl ABD.

C6 Mae gan gylch, canol O, radiws OA = 5cm.
Mae ongl OAB = 40°. Cyfrifwch hyd y cord AB.

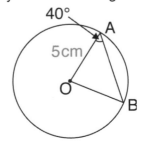

 Gwyliwch y triongl isosgeles ...

2.7 Cwestiynau ar Geometreg Cylchoedd

C7 Pwyntiau ar gylchyn cylch yw A, B, C a D. O yw canol y cylch ac mae ongl AOD = 140°. Ysgrifennwch:
 a) ongl ABD
 b) ongl ABC
 c) ongl DBC.

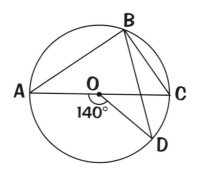

C8

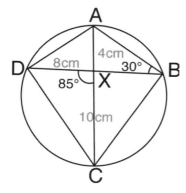

Pedrochr cylchol yw ABCD. Mae llinellau AC a BD yn croestorri yn X. Mae hyd AX = 4cm, DX = 8cm a XC = 10cm. Mae ongl DXC = 85° ac ABD = 30°.
 a) Dangoswch fod y trionglau DXC ac AXB yn gyflun.
 b) Darganfyddwch hyd XB.
 c) Ysgrifennwch faint ongl BDC.

C9 Mae tangiad yn cael ei lunio sy'n cyffwrdd cylch yn A. Dau bwynt arall ar y cylchyn yw C a B a diamedr yw AOB. O yw canol y cylch. Mae ongl ABC yn 23°.
 a) Ysgrifennwch faint ongl ACB, a rhowch reswm dros eich ateb.
 b) Darganfyddwch faint yr ongl sydd wedi ei marcio ag x° yn y diagram.

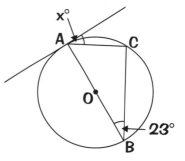

C10 Tri phwynt ar gylchyn cylch yw B, C a D, lle mae BD yn ddiamedr. O yw canol y cylch a llinell syth yw ADC.
AB = 10cm a BC = 3cm.
 a) Ysgrifennwch faint ongl ACB, a rhowch reswm dros eich ateb.
 b) Dangoswch fod AC yn 9.54cm yn gywir i 2 le degol.
 c) Os yw AD = 5cm darganfyddwch hyd y diamedr DOB yn gywir i 2 le degol.

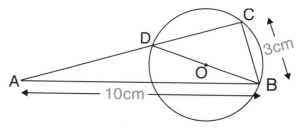

C11 Canol cylch yw O a chord yw AB. Mae hyd OA = 5cm ac ongl OAB = 20°. Darganfyddwch hyd y cord AB.

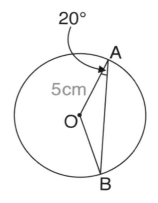

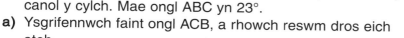

Ychydig o gordiau syml - dyna'r cwbl.

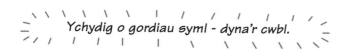

2.8 Cwestiynau ar Gyflunedd a Helaethiad

Mae <u>gwahaniaeth pwysig</u> rhwng cyflunedd a chyfathiant.

C1 Yn y diagram dangosir ochr-olwg o siglen mewn cae chwarae. Mae trionglau PQR a PST yn gyflun.

a) Ysgrifennwch bellter PT.

b) Cyfrifwch bellter ST.

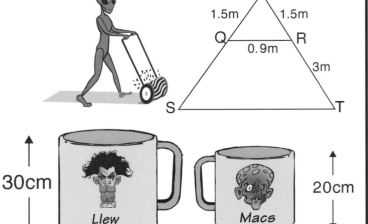

C2 Mae dau fwg A a B yn gyflun.
Mae uchder Mwg A yn 30cm ac uchder Mwg B yn 20cm. Mae cyfaint Mwg A yn 54cm³.
Cyfrifwch gyfaint Mwg B.

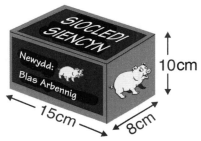

 Cofiwch pan fyddwch yn helaethu arwynebeddau a chyfeintiau, mae'r ffactor graddfa yn fwy.

C3 Bydd bocs o siocledi yn cael ei wneud ar ffurf ciwboid 15cm o hyd, 8cm o led a 10cm o uchder.

a) Cyfrifwch arwynebedd y deunydd sydd ei angen i wneud y bocs (a chymryd yn ganiataol nad oes angen fflapiau er mwyn gludio).

b) Er mwyn hysbysebu'r siocledi, mae'r gwneuthurwr yn trefnu fod bocs ar ffurf gyflun yn cael ei wneud. Bydd gan yr helaethiad ffactor graddfa o 50. Cyfrifwch arwynebedd y deunydd sydd ei angen i wneud y bocs hysbysebol. Rhowch eich ateb mewn metrau sgwâr.

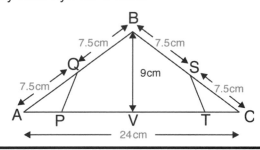

C4

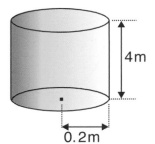

Tŵr dŵr yw'r model wrth raddfa a welir yn y diagram. Mae'r model yn silindr o uchder 4m ac mae radiws y gwaelod yn 0.2m. Mae lefel y dŵr a awgrymir yn y tŵr mawr yn 1000m o uchder.

a) Beth yw radiws gwaelod y tŵr mawr?

b) Cyfrifwch gyfaint y model wrth raddfa, mewn metrau ciwbig.

c) Sawl gwaith yn fwy na'r model wrth raddfa yw cyfaint y tŵr dŵr a awgrymir?

C5 Lluniodd bachgen fframwaith cymesurol â rhodenni metel. Gweler y diagram.
Mae hyd ST = TC ac AP = PQ. Mae ongl BVC = 90° ac y mae hyd BV = 9cm.

a) Darganfyddwch ddau driongl sy'n gyflun i driongl ABC.

b) Cyfrifwch hyd AP. Yn awr ysgrifennwch hyd PT.

c) Cyfrifwch arwynebedd triongl ABC.

d) Darganfyddwch arwynebedd y triongl APQ. Rhowch eich ateb yn gywir i 3 ffigur ystyrlon.

e) Yn awr ysgrifennwch arwynebedd PQBST, yn gywir i 2 ffigur ystyrlon.

2.8 Cwestiynau ar Gyflunedd a Helaethiad

C6 Gan ddefnyddio'r pwynt O fel canol yr helaethiad ewch ati i lunio'r canlynol yn fanwl gywir a'u labelu:

a) delwedd $A_1B_1C_1$ y triongl ABC ar ôl helaethiad gyda ffactor graddfa 2.

b) delwedd $A_2B_2C_2$ y triongl ABC ar ôl helaethiad gyda ffactor graddfa -1.

c) Pa ddelwedd sy'n gyfath â thriongl ABC?

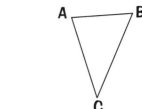

C7 Pan oeddynt ar eu gwyliau ar lan y môr, adeiladodd plant gastell tywod ar ffurf côn. Mae radiws y gwaelod yn 100cm ac mae'r uchder yn 100cm.

a) Beth yw cyfaint y castell mewn m^3, yn gywir i 3 ffigur ystyrlon?

Mae'r plant yn tynnu'r rhan uchaf i ffwrdd i wneud côn cyflun ond sy'n 50cm o uchder.

b) Nodwch beth yw radiws gwaelod y côn bychan yma.

c) Nodwch gymhareb cyfaint y côn bychan i gyfaint y côn gwreiddiol.

d) Cyfrifwch gyfaint y côn bychan mewn m^3 yn gywir i 3 ffigur ystyrlon.

e) Yn awr ysgrifennwch gymhareb cyfaint cyfran y côn gwreiddiol sydd ar ôl i'r côn bychan ar y ffurf n : 1.

C8 Mae potel silindrog yn cynnwys 1 litr o olew. Mae radiws potel silindrog arall ddwywaith cymaint ond mae ei huchder yr un faint. Mae'r botel hon hefyd yn cynnwys olew.

a) Eglurwch pam nad yw'r poteli hyn yn gyflun.

b) Faint o olew sydd yn y botel fwyaf?

C9 Pa bâr o drionglau sy'n gyfath? Dywedwch pam y maent yn gyfath.

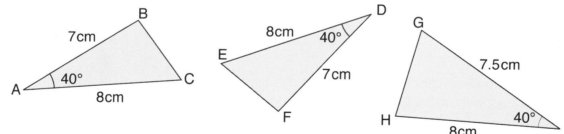

C10 Mae BC yn baralel i DE. AB = 12cm, BD = 8cm, DE = 25cm a CE = 10cm.

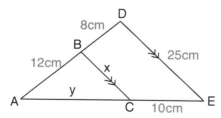

a) Eglurwch pam y mae trionglau ABC ac ADE yn gyflun.

b) Darganfyddwch hydoedd x ac y yn y diagram.

C11 Mae'n rhaid llunio triongl arall, sy'n gyfath â'r triongl a roddir, â'i fertigau ar dri o'r dotiau. Dangoswch mewn sawl gwahanol ffordd y gellir gwneud hyn.

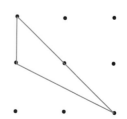

2.9 Cwestiynau ar y Pedwar Trawsffurfiad

Dim ond 4 o'r rhain sydd angen eu dysgu...
Cofiwch am y gair pwysig 'CATH' os byddwch angen cymorth.

C1 Copïwch yr echelinau a marciwch driongl A arnynt gyda'r corneli (-1,2) (0, 4) a (-2, 4).

Defnyddiwch raddfa o 1cm i 1 uned.

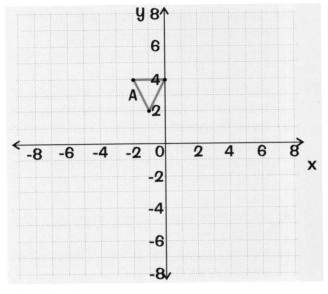

a) Adlewyrchwch A yn y llinell y = -x.
Labelwch y ddelwedd yma'n B.

b) Adlewyrchwch A yn y llinell x = 1.
Labelwch y ddelwedd yma'n C.

c) Adlewyrchwch A yn y llinell y = -1.
Labelwch y ddelwedd yma'n D.

d) Defnyddiwch y fector $\binom{4}{2}$ i drawsfudo triongl D.
Labelwch y ddelwedd yma'n E.

e) Defnyddiwch y fector $\binom{3}{-3}$ i drawsfudo triongl C. Labelwch y ddelwedd yma'n F.

f) Rhowch ddisgrifiad llawn o'r trawsffurfiad sy'n anfon C i E.

g) Rhowch ddisgrifiad llawn o'r trawsffurfiad sy'n anfon F i A.

 Trawsffurfiadau... hollol anniddorol.

C2 Copïwch yr echelinau gan ddefnyddio graddfa o 1cm i 1 uned. Ar yr echelinau marciwch bedrochr Q gyda'r corneli (-2, 1), (-3, 1), (-3, 3) a (-2, 3).

a) Cylchdrowch Q yn glocwedd drwy 90° o amgylch y pwynt (-1, 2). Labelwch y ddelwedd yn R.

b) Cylchdrowch R yn glocwedd drwy 90° o amgylch y pwynt (0,1). Labelwch y ddelwedd yn S.

c) Rhowch ddisgrifiad llawn o'r cylchdro sy'n mapio Q ar S.

d) Rhowch ddisgrifiad llawn o'r trawsfudiad sy'n anfon Q i S.

e) Rhowch ddisgrifiad llawn o'r adlewyrchiad sy'n anfon Q i S.

f) Cylchdrowch Q drwy 180° o amgylch y pwynt ($\frac{-1}{2}$, -1). Labelwch y ddelwedd yn T.

g) Cylchdrowch Q yn wrthglocwedd drwy 90° o amgylch y pwynt (-1,-1). Labelwch y ddelwedd yn U.

h) Rhowch ddisgrifiad llawn o'r cylchdro sy'n anfon U i T.

2.9 Cwestiynau ar y Pedwar Trawsffurfiad

Symudwch bob pwynt ar wahân - yna gwiriwch nad oes dim byd annisgwyl wedi digwydd i'ch siâp.

C3 Copïwch yr echelinau isod gan ddefnyddio graddfa o 1cm i 1 uned.

Mae gan baralelogram A fertigau yn (6, 4) (10, 4) (8, 10) a (12, 10). Lluniwch y paralelogram yma ar eich echelinau. Mae helaethiad gyda ffactor graddfa $\frac{1}{2}$ a chanolbwynt (0,0) yn trawsffurfio paralelogram A ar ei ddelwedd, B.

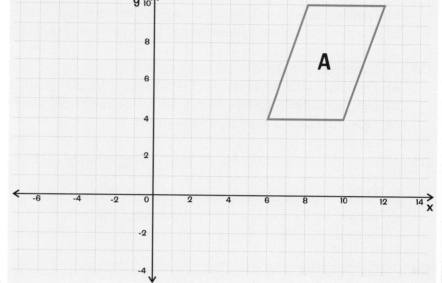

a) Lluniwch y ddelwedd B yma ar eich echelinau.

b) Defnyddiwch y fector $\begin{pmatrix} -3 \\ -2 \end{pmatrix}$ i drawsfudo B a labelwch y ddelwedd yma yn C.

c) Cyfrifwch gymhareb arwynebedd paralelogram C i arwynebedd paralelogram A.

C4 Lluniwch echelinau gydag x ac y yn mynd o 0 i 12 gyda graddfa o 1cm i 1 uned. O yw'r tardd. $\overrightarrow{OP} = \begin{pmatrix} 4 \\ 2 \end{pmatrix}$, $\overrightarrow{PQ} = \begin{pmatrix} -1 \\ 2 \end{pmatrix}$, a $\overrightarrow{QR} = 2 \overrightarrow{OP}$

Gyda fectorau gofalwch fod y cyfesurynnau wedi eu gosod yn y drefn gywir - y rhai uchaf ar gyfer cyfeiriad x, a'r rhai isaf ar gyfer cyfeiriad y.

a) Marciwch P, Q ac R ar eich echelinau.

b) Cyfrifwch hydoedd y fectorau $\overrightarrow{OP}$ ac $\overrightarrow{OQ}$.

c) Darganfyddwch hafaliad y llinell sy'n cysylltu P a Q.

d) Defnyddiwch $\overrightarrow{QO}$ i drawsfudo R. Labelwch y ddelwedd yn T.

e) Gwiriwch fod y fectorau colofn $\overrightarrow{PQ} + \overrightarrow{QR} + \overrightarrow{RT} + \overrightarrow{TP} = O$.

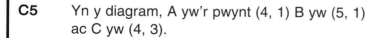

C5 Yn y diagram, A yw'r pwynt (4, 1) B yw (5, 1) ac C yw (4, 3).

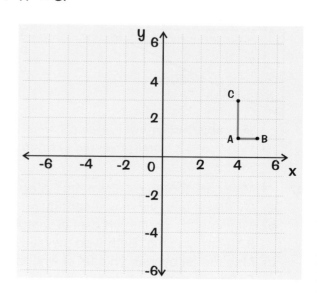

a) Gan ddefnyddio graddfa o 1cm i 1 uned lluniwch y diagram a marciwch y ffigur a roddir gan ABC.

b) Adlewyrchwch ABC yn echelin x a labelwch y ddelwedd $A_1 B_1 C_1$.

c) Adlewyrchwch ABC yn echelin y a labelwch y ddelwedd $A_2 B_2 C_2$.

d) Rhowch ddisgrifiad llawn o'r trawsffurfiad fyddai'n mapio ABC ar $A_2 B_2 C_2$.

ADRAN DAU - SIAPIAU

3.1   Cwestiynau ar Drionglau Fformiwla

Mae'r tudalennau nesaf yn llawn o drionglau fformiwla - ac maen nhw'n hynod o bwysig. Os byddwch yn llwyddo i ddeall y rhain bydd popeth yn llawer haws.

C1   Cyfaint = arwynebedd y sail × uchder.
   a) Darganfyddwch gyfaint silindr â radiws 3cm ac uchder 12cm.
   b) Darganfyddwch uchder prism ag arwynebedd sail o $35cm^2$ a chyfaint o $400cm^3$.
   c) Darganfyddwch arwynebedd sail bocs petryalog ag uchder 25cm a chyfaint $1500cm^3$.

C2   Dwysedd = màs am bob uned gyfaint.
   a) Cyfrifwch ddwysedd darn o bren â màs 7.5g a chyfaint $11cm^3$.
   b) Darganfyddwch gyfaint darn o fetel â dwysedd $8.2g/cm^3$ a màs 125g.
   c) Cyfrifwch beth yw màs pwysau papur â chyfaint o $56cm^3$ a dwysedd o $9g/cm^3$.

C3 a) Mae arwynebedd triongl yn $34cm^2$. Os yw ei sail yn 6cm, beth yw ei uchder perpendicwlar?
   b) Mae arwynebedd trapesiwm yn $50cm^2$. Os yw'r ochrau paralel yn 7cm a 12cm fel y gwelir yn y diagram, cyfrifwch ei uchder, u.

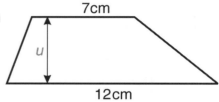

C4   Cyfaint sffêr $= \frac{4}{3}\pi r^3$
   a) Beth yw cyfaint sffêr â radiws 4.2cm?
   b) Beth yw radiws sffêr â chyfaint $60cm^3$?
   c) Cyfrifwch ddiamedr sffêr â chyfaint $100cm^3$.

C5   Mae gan fwrdd crwn ddiamedr o 1.5m. Mae lliain crwn yn cael ei osod ar y bwrdd ac mae'n hongian 10cm yr holl ffordd o'i amgylch.
   a) Beth yw radiws y lliain bwrdd?
   b) Bydd tâp beindin yn cael ei osod o amgylch ymyl y lliain. Faint o dâp beindin fydd ei angen os yw'r ddau ben yn gorgyffwrdd 2cm?

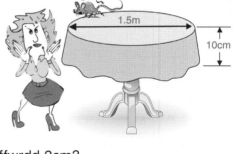

C6   Rheolau trigonometreg: $\tan\theta = \frac{cyf}{agos}$, $\sin\theta = \frac{cyf}{hyp}$, $\cos\theta = \frac{agos}{hyp}$

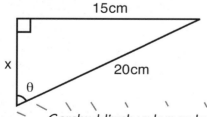

   a) Cyfrifwch ongl θ.
   b) Darganfyddwch hyd x.
   c) Cyfrifwch arwynebedd y triongl.

Gorchuddiwch yr hyn rydych chi am ei ddarganfod â'ch bys - bydd y ddau ddarn arall yn dweud wrthych sut i gyfrifo. Digon hawdd.

C7   Mae gan gerflun gyfaint o $4m^3$. Mae dwysedd y garreg yn $9.3g/cm^3$.
   a) Cyfrifwch beth yw màs y cerflun.
   b) Mae copi o'r cerflun yn cael ei wneud o ddeunydd ysgafnach â dwysedd o $3.5g/cm^3$ yn unig. Beth fydd pwysau'r copi?
   c) Mae model bychan yn cael ei wneud o'r deunydd ysgafn sy'n pwyso 5kg. Cyfrifwch beth yw cyfaint y model.

3.1 Cwestiynau ar Drionglau Fformiwla

C8 Graddiant $= \dfrac{\text{uchder}}{\text{pellter llorweddol a deithiwyd}}$

a) Mae graddiant bryn yn cael ei roi fel 4%. Wrth deithio pellter llorweddol o 4km, beth yw'r uchder a gyrhaeddir?

b) Wrth yrru pellter llorweddol o 12km, dringais 25m yn fertigol. Beth oedd y graddiant cyfartalog?

c) Mae ramp palmant yn 10cm o uchder. Beth fydd graddiant goleddol y palmant os yw'n cychwyn 26cm oddi wrtho?

 Mae'n rhaid i chi fod yn hynod o ofalus wrth ddelio â <u>thrionglau fformiwlâu</u> - cofiwch, mae'r <u>unedau a gewch chi o'r</u> triongl fformiwla <u>yn dibynnu'n union ar yr unedau rydych yn eu rhoi i mewn ynddo</u>.

CROESAIR MANION

1) Dysgwch sut i ddefnyddio'r trionglau yma a byddwch yn osgoi camgymeriadau? (8)

2) $a^2 + o^2 = h^2$, lle mae a = cyfagos, o = cyferbyn a h = hypotenws. (9)

3) Mae ateb yn anghyflawn os nad yw'n cynnwys y rhain. (6)

4) Os byddwch yn torri hon byddwch yn debyg o gael yr ateb anghywir. (4)

5) Cyfeiriant cwmpawd yn union 090°. (7)

6) Cewch hwn os byddwch yn rhannu'r ochr gyferbyn â'r ochr gyfagos mewn triongl ongl sgwâr. (3)

7) Mae'r rhain yn disgrifio maint a chyfeiriad. (8)

8) -090° os ydych yn wynebu'r Gorllewin. (2)

9) Mae'r onglau _____ a gostwng yn hafal. (4)

10) Y gwrthwyneb i 'gwrthglocwedd' (7)

11) Pan fydd graddiant llinell ar graff yn cynrychioli un ai cyflymiad neu fuanedd, byddaf i yn sicr o ymddangos ar yr echelin. (5)

12) Y ffordd safonol o ddysgu hyn yw dweud, 'gwaith deg i'r pŵer'. (4)

3.2 Cwestiynau ar Fuanedd, Pellter ac Amser

Mae hyn yn <u>eithaf hawdd</u>. Mater o bwyllo, gosod y rhifau cywir yn <u>y triongl fformiwla</u> <u>buanedd</u> a chael yr ateb. A chofiwch wirio fod eich ateb yn yr unedau cywir.

C1 **a)** Mae car yn teithio 32km mewn 40 munud. Beth yw ei fuanedd cyfartalog?

b) Mae trên yn teithio ar fuanedd cyfartalog o 96km/awr am 35 munud. Pa mor bell mae'r trên wedi teithio?

c) Mae beiciwr yn teithio 12km ar fuanedd o 16km/awr. Faint o amser mae hyn yn ei gymryd?

C2 Mae car yn teithio 8km ar fuanedd cyfartalog o 30km/awr. Yna mae'n ymuno â'r drafffordd ac yn teithio 200km ar fuanedd o 104km/awr.
Beth yw'r buanedd cyfartalog ar gyfer yr holl daith?

C3 Mae'r cyfyngiad cyflymder ar ffordd fawr drwy ganol tref yn 30mya. Mae gyrwraig yn teithio $2\frac{1}{4}$ milltir drwy ganol y dref mewn 4 munud. A oedd hi'n teithio'n rhy gyflym?

C4 Mae trên yn gadael gorsaf A am 0915 ac yn cyrraedd gorsaf B am 1005. Os yw'r trên yn teithio ar fuanedd cyfartalog o 72mya, beth yw'r pellter rhwng y gorsafoedd?

C5 Mae'r tabl yma'n dangos milltiroedd a deithiwyd gan gar ar wahanol amseroedd yn ystod taith.

Amser	1410	1530	1655	1845	2040
Milltiroedd	10537	10589	10655	10695	10780

a) Beth oedd y buanedd cyfartalog rhwng 1410 a 1530?

b) Yn eich tyb chi, rhwng pa amseroedd yr arhoswyd i ail-lenwi â phetrol a chael paned? Rhowch reswm dros eich ateb.

c) Beth oedd y buanedd cyfartalog ar gyfer rhan olaf y daith?

d) Os yw'r car yn teithio tua 12 milltir am bob litr o danwydd, sawl litr a ddefnyddir ar y daith?

e) Beth oedd y buanedd cyfartalog ar gyfer y daith i gyd?

C6 Mae beiciwr yn gadael ei gartref am 1430 ac yn seiclo ar fuanedd cyfartalog o 14km/awr i fynd i weld ei ffrind. Ar ôl awr mae'n aros am 20 munud ac yna'n mynd yn ei flaen ar fuanedd cyfartalog o 11km/awr ac yn cyrraedd tŷ ei ffrind am 1700.

a) Pa mor bell mae o'n teithio cyn aros i orffwys?

b) Pa mor bell yw tŷ ei ffrind?

c) Beth oedd y buanedd cyfartalog ar gyfer y daith i gyd?

3.2 Cwestiynau ar Fuanedd, Pellter ac Amser

C7 Mae'r pellter rhwng dwy orsaf reilffordd yn 145km.

    a) Faint o amser mae trên sy'n teithio ar fuanedd cyfartalog o 65km/awr yn ei gymryd i deithio'r pellter yma?

    b) Mae trên arall yn teithio ar fuanedd cyfartalog o 80km/awr ond yn aros am 10 munud yn ystod y daith. Faint o amser mae'r ail drên yma yn ei gymryd?

    c) Os yw'r ddau drên yn cyrraedd am 1600, am faint o'r gloch wnaeth y naill drên a'r llall adael?

C8 Rhedodd dau athletwr mewn ras ffordd. Rhedodd un ar fuanedd cyfartalog o 16km/awr, a'r llall ar fuanedd cyfartalog o 4m/eiliad. Pa athletwr oedd y cyflymaf? Faint o amser gymerodd y naill a'r llall i redeg 10km?

C9 Mae awyren yn gadael Amsterdam am 0715 ac yn hedfan ar fuanedd cyfartalog o 650km/awr i Paris, gan gyrraedd am 0800. Mae'r awyren yn codi eto am 0840 ac yn hedfan ar yr un buanedd cyfartalog i Nice, gan gyrraedd am 1005.

    a) Pa mor bell yw hi o Amsterdam i Paris?

    b) Pa mor bell yw hi o Paris i Nice?

    c) Beth yw'r buanedd cyfartalog ar gyfer y daith i gyd?

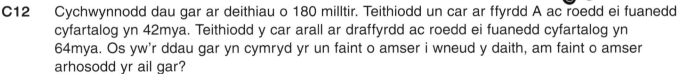

Cofiwch, i gael y buanedd cyfartalog rydych yn defnyddio cyfanswm yr amser a chyfanswm y pellter.

C10 Rhedodd athletwr 100m cyntaf ras 200m mewn 12.3 eiliad.

    a) Beth oedd ei fuanedd cyfartalog ar gyfer y 100m cyntaf?

    b) Cymerodd 15.1 eiliad i redeg yr ail 100m. Beth oedd y buanedd cyfartalog ar gyfer 200m?

C11 Gall awyren filwrol gyrraedd buanedd o 1100km/awr. Mae'n hedfan ar y buanedd yma dros Dref A am 1205 a Thref B am 1217.

    a) Pa mor bell yw trefi A a B oddi wrth ei gilydd?

    b) Yna mae'r awyren yn hedfan dros bentref C sydd 93km o B. Faint o amser mae'n cymryd i fynd o B i C?

C12 Cychwynnodd dau gar ar deithiau o 180 milltir. Teithiodd un car ar ffyrdd A ac roedd ei fuanedd cyfartalog yn 42mya. Teithiodd y car arall ar draffyrdd ac roedd ei fuanedd cyfartalog yn 64mya. Os yw'r ddau gar yn cymryd yr un faint o amser i wneud y daith, am faint o amser arhosodd yr ail gar?

C13 Mae carreg yn cael ei gollwng o ben clogwyn. Ar ôl un eiliad mae hi wedi syrthio 4.8m, ar ôl 2 eiliad mae hi wedi syrthio cyfanswm o 19.2m ac ar ôl 3 eiliad, 43.2m. Cyfrifwch beth yw buanedd cyfartalog y garreg:

    a) yn ystod yr eiliad gyntaf

    b) yn ystod yr ail eiliad

    c) dros y tair eiliad

    d) Newidiwch yr holl fuaneddau m/eiliad yn fuaneddau km/awr.

C14 Yn 1990 roedd gan dri rasiwr ceir amseroedd lap cyflymaf o 236.6, 233.8 a 227.3km/awr. Os yw 1km = 0.62 milltir, faint o amser gymerodd pob gyrrwr i lapio 5 milltir?

3.3 Cwestiynau ar Graffiau P/A a C/A

[P/A = Pellter/Amser; C/A = Cyflymder/Amser]

Mae angen i chi gofio beth yw ystyr gwahanol rannau graff teithio - a sut olwg sydd arno wrth i rywbeth _aros_, _newid buanedd_ a _dychwelyd_ i'r man cychwyn.

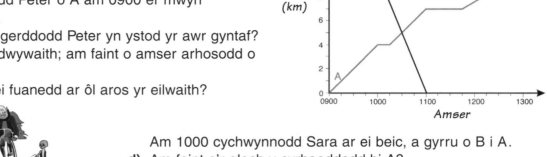

C1 Cychwynnodd Peter o A am 0900 er mwyn cerdded i B.
- **a)** Pa mor bell gerddodd Peter yn ystod yr awr gyntaf?
- **b)** Arhosodd ddwywaith; am faint o amser arhosodd o bob tro?
- **c)** Beth oedd ei fuanedd ar ôl aros yr eilwaith?

Am 1000 cychwynnodd Sara ar ei beic, a gyrru o B i A.
- **d)** Am faint o'r gloch y cyrhaeddodd hi A?
- **e)** Beth oedd ei buanedd cyfartalog?
- **f)** Am faint o'r gloch wnaeth Peter a Sara basio'i gilydd?

C2 Mae Mr Jones yn gadael ei gartref am 0730 i fynd i'w waith. Mae'n cerdded ar fuanedd cyson o 6km/awr am 2km. Mae'n dal trên 0755 sy'n cymryd 35 munud i deithio 50km. Yna mae'n cerdded 3km i'w waith ac yn cyrraedd am 0900. Lluniwch graff i ddangos hyn. Am faint o amser y bu'n rhaid iddo aros am y trên yn yr orsaf?

C3 Mae'r graff yma'n dangos taith bws rhwng Kendal a Sedbergh.
- **a)** Beth oedd hyd yr arhosiad cyntaf?
- **b)** Beth oedd hyd yr ail arhosiad?
- **c)** Pa mor bell y teithiodd y bws yn ystod y 10 munud cyntaf?
- **d)** Beth oedd y buanedd cyfartalog ar gyfer y daith o Sedbergh i Kendal?
- **e)** Beth oedd y buanedd cyflymaf?
- **f)** Beth oedd y buanedd cyfartalog ar gyfer y daith i gyd?

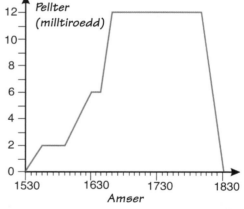

C4 Ar ddiwrnod y mabolgampau rhedodd y tri cyntaf yn y ras 1000m fel y dangosir yn y graff.
- **a)** Pa redwr enillodd y ras, A, B ynteu C?
- **b)** Faint o amser a gymerodd y rhedwr buddugol?
- **c)** Buanedd pa redwr oedd yn gyson?
- **d)** Beth oedd y buanedd hwnnw
  - **i)** mewn m/munud?
  - **ii)** mewn km/awr?
- **e)** Pa redwr a lwyddodd i gyrraedd y buanedd cyflymaf a beth oedd y buanedd hwnnw?

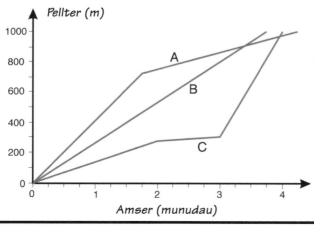

ADRAN TRI — MANION

3.3 Cwestiynau ar Graffiau P/A a C/A

C5 Mae'r diagram yma'n dangos y gwahanol amseroedd a gymerodd 5 trên i deithio 100km.

a) Cyfrifwch fuanedd pob trên.

b) O edrych ar y diagram, sut allwch chi ddweud pa un oedd y trên cyflymaf a pha un oedd y trên mwyaf araf?

c) Dylai trên D fod wedi bod yn teithio ar fuanedd o 50km/awr. Faint o funudau yn hwyr oedd y trên?

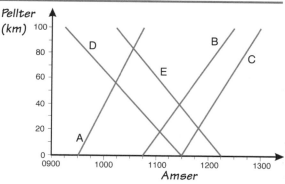

C6 Cychwynnodd dau gar ar eu taith am hanner dydd (1200) - un o dref A a'r llall o bentref B. Mae A a B 80km oddi wrth ei gilydd. Mae'r car o dref A yn teithio ar fuanedd cyfartalog o 48km/awr a'r car arall, o bentref B, ar fuanedd o 60km/awr.

a) Lluniwch graff yn dangos y teithiau hyn.

b) Am faint o'r gloch (yn fras) y pasiodd y ddau gar ei gilydd?

c) Pa mor bell o A ydynt pan fyddant yn pasio ei gilydd?

C7 Mae awyren yn hedfan o P i Q ac ar ôl aros i godi tanwydd mae'n hedfan ymlaen i R. Yn y tabl yma rhoddir manylion y daith.

Amser o P (oriau)	0	1	2	3	4	5	6
Pellter o P (km)	0	900	1800	2700	2700	3400	4100

a) Lluniwch graff i ddangos y daith yma.

b) Beth oedd y buanedd cyfartalog o P i Q?

c) Beth oedd y buanedd cyfartalog o Q i R?

d) Am faint o'r gloch oedd yr awyren 2000km o P os gadawodd am 0825?

Cofiwch mai graddiant graff yw'r buanedd. Wrth lunio'r graffiau yma, sicrhewch eich bod yn dewis unedau synhwyrol ar gyfer eich echelinau, a phan fyddwch yn darllen yr ateb, cofiwch ddefnyddio'r unedau hynny.

C8 Cychwynnodd merch ar daith gerdded oedd yn cymryd diwrnod cyfan. Cychwynnodd am 0915 a cherdded ar fuanedd cyson am 9km cyn aros am 1100 i orffwys am 20 munud. Yna cychwynnodd eto ar fuanedd cyson a cherdded 8km, gan aros am 1300 am 45 munud. Ar ôl cinio cerddodd ar fuanedd o $3\frac{1}{2}$ km/awr am $2\frac{1}{2}$ awr nes cyrraedd pen ei thaith.

a) Lluniwch graff i ddangos y daith gerdded yma.

b) Pa mor bell gerddodd hi i gyd?

c) Beth oedd y buanedd cyfartalog ar gyfer y daith i gyd?

d) Beth oedd ei buanedd cyflymaf wrth gerdded?

C9 Mae'r graff yma'n dangos taith car.

a) Faint o amser gymerodd y daith?

b) Pa mor aml fu'r car yn teithio ar fuanedd cyson?

c) Am faint o funudau y bu'r car yn teithio ar fuanedd mwy na 30mya?

d) Rhwng pa ddau amser oedd y cyflymiad fwyaf?

e) Faint o amser gymerodd hi i arafu ar y diwedd?

f) Beth oedd y buanedd cyflymaf a gyrhaeddwyd?

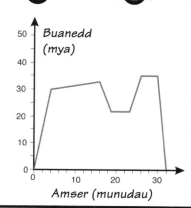

3.3   *Cwestiynau ar Graffiau P/A a C/A*

Mae'r cwestiynau yma bob amser yn cynnwys llawer iawn o ddarnau, felly sicrhewch eich bod yn deall sut mae'r graffiau'n gweithio cyn cychwyn.

C10   Mae trên yn cychwyn o ddisymudedd yn X ac yn cynyddu ei fuanedd ar gyfradd gyson am dri munud nes cyrraedd 90km/awr. Mae'n cynnal y buanedd yma am 15 munud, yna'n arafu yn gyson ar gyfradd o 18km/awr y funud nes stopio yn Y.

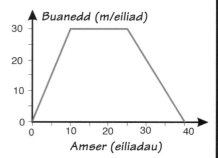

    a) Lluniwch graff buanedd/amser i ddangos taith y trên yma.

    b) Pa mor bell mae'r trên yn teithio pan yw'r buanedd ar ei uchaf?

    c) Beth yw buanedd y trên ar ôl 1 munud?

    d) Pryd fydd y trên yn teithio ar y buanedd hwn nesaf?

C11   Mae'r graff buanedd/amser yma'n dangos taith trên rhwng arosfannau.

    a) Faint o amser gymerodd hi i'r trên gyrraedd 30m/eiliad?

    b) Pa mor hir oedd y daith?

    c) Beth oedd y pellter rhwng yr arosfannau?

    d) Beth oedd y buanedd cyfartalog ar gyfer y daith?

C12   Mae trên yn cychwyn o ddisymudedd ac yn cynyddu ei fuanedd yn gyson yn ystod yr 80 eiliad cyntaf i 18m/eiliad. Yn union wedyn mae'n dechrau arafu, ac yn stopio ar ôl taith gyfan o 140 eiliad.

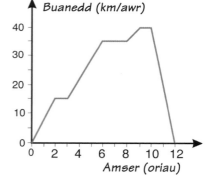

    a) Lluniwch graff buanedd/amser i ddangos hyn.

    b) Beth yw'r buanedd ar ôl 1 munud?

    c) Beth yw cyfanswm y pellter a deithiwyd?

C13   Mae'r diagram yma'n dangos trip diwrnod ar gwch.

    a) Cyfrifwch beth oedd cyfanswm y pellter a deithiwyd.

    b) Cyfrifwch y buanedd cyfartalog ar gyfer yr holl ddiwrnod.

C14   Esgynnodd awyren a chyflymu yn gyson i 800km/awr yn ystod y 5 munud cyntaf. Cadwodd y buanedd yma am 20 munud ac yna fe'i cynyddodd yn gyson eto i 1000km/awr dros y 3 munud nesaf.

    a) Lluniwch graff buanedd/amser i ddangos hyn.

    b) Beth oedd y buanedd ar ôl 2 funud?

    c) Pa mor bell oedd yr awyren wedi teithio ar ôl 25 munud?

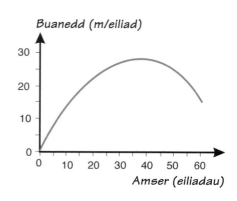

C15   Mae'r graff crwm yma'n dangos buanedd car yn ystod munud cyntaf ei daith.

    a) Pryd ddechreuodd y car gyflymu?

    b) Pryd ddechreuodd y car arafu?

    c) Amcangyfrifwch y buanedd ar ôl 20 eiliad.

    d) Pa mor bell, yn fras, oedd y car wedi teithio mewn munud?

3.3 Cwestiynau ar Graffiau P/A a C/A

Peidiwch â phoeni. Does dim sy'n rhy anodd yma ac mae'r cwestiynau fwy neu lai yn debyg i'w gilydd. Os gallwch chi wneud un, gallwch wneud y cwbl.

C16 Mae'r tabl yma'n dangos cyflymder gronyn.

Amser (eiliadau)	0	0.5	1	1.5	2	2.5	3
Cyflymder (m/eiliad)	0	5.6	8.8	10.5	12	11.4	10

a) Lluniwch graff cyflymder/amser.
b) Pa mor bell oedd y gronyn wedi teithio ar ôl 2 eiliad?
c) Beth oedd y cyflymiad cyfartalog yn ystod y 0.5 eiliad cyntaf?

C17 Mae'r diagram yma'n dangos sut y gyrrodd beiciwr ran o ras. Cyfrifwch:
a) y cyflymiad rhwng 0 a 10 munud
b) yr arafiad rhwng 20 a 25 munud
c) gyfanswm y pellter a deithiwyd mewn 35 munud
d) y buanedd cyfartalog ar gyfer y 30 munud cyntaf.

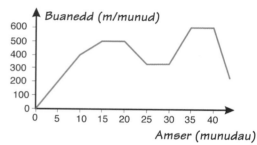

C18 Mae car yn cyflymu'n gyson o ddisymudedd i fuanedd o 100km/awr, ac mae'n cymryd 25 eiliad i wneud hyn.
a) Lluniwch graff buanedd/amser i ddangos hyn.
b) Amcangyfrifwch gyfanswm y pellter a deithiwyd.

C19 Cofnodwyd buaneddau trên fel a ganlyn.

Amser (munudau)	0	2	4	6	8	10
Buanedd (km/awr)	0	35	52	78	69	75

a) Lluniwch graff buanedd/amser fel cromlin lefn.
b) Faint o amser ar ôl cychwyn y cyrhaeddodd y trên 70km/awr?
c) Pryd gyrhaeddodd y trên y buanedd yma nesaf?
d) Pa mor bell y teithiodd y trên mewn 10 munud?

C20 Cychwynnodd dau gerbyd o ddisymudedd ar yr un pryd. Mae un yn cyflymu'n gyson ar gyfradd o 0.65m/eiliad². Mae'r llall yn cyflymu fel y dengys y tabl.

Amser (eiliadau)	0	2	4	6	8	10	12	14
Buanedd (m/e)	0	1	1.5	2.3	3.2	5.5	7.8	10

a) Lluniwch y graffiau buanedd/amser yma ar yr un echelinau.
b) Amcangyfrifwch pryd y bydd y ddau gerbyd yn teithio ar yr un buanedd.
c) A oes unrhyw wahaniaeth yn y pellter mae pob un yn ei deithio?

3.4 Cwestiynau ar Ffurf Indecs Safonol

Gall ysgrifennu rhifau mawr iawn (neu fychan iawn) fynd braidd yn flêr gyda'r holl seroau os na ddefnyddiwch y ffurf indecs safonol yma. Ond wrth gwrs, y prif reswm dros ddysgu am y ffurf safonol yw'r Arholiad!

C1 Ysgrifennwch y canlynol fel rhifau cyffredin:

a) 3.56×10
b) 3.56×10^3
c) 3.56×10^{-1}
d) 3.56×10^4

e) 0.082×10^2
f) 0.082×10^{-2}
g) 0.082×10
h) 0.082×10^{-1}

i) 157×10
j) 157×10^{-3}
k) 157×10^3
l) 157×10^{-1}.

C2 Ysgrifennwch y canlynol yn y ffurf safonol:

a) 2.56
b) 25.6
c) 0.256
d) 25600

e) 95.2
f) 0.0952
g) 95 200
h) 0.000952

i) 4200
j) 0.0042
k) 42
l) 420.

C3 Ysgrifennwch y canlynol yn y ffurf safonol:

a) 34.7×10
b) 73.004
c) 0.005×10^3
d) 9183×10^2

e) 15 miliwn
f) 937.1×10^4
g) 0.000075
h) 0.05×10^{-2}

i) 534×10^{-2}
j) 621.03
k) 149×10^2
l) 0.003×10^{-4} .

C4 Cyfrifwch y canlynol a rhowch eich atebion yn y ffurf safonol:

a) $(3.7 \times 10^2) \times (1.4 \times 10^4)$
b) $(0.5 \times 10^3) \times (8.1 \times 10^2)$
c) $(0.03 \times 10^{-1}) \times (5.6 \times 10^{-2})$

d) $(3.9 \times 10^2) \div (2.7 \times 10)$
e) $(0.7 \times 10^4) \div (1.5 \times 10^2)$
f) $(8.21 \times 10^5) \div (0.4 \times 10^3)$.

C5 Cyfrifwch y canlynol, gan ysgrifennu eich atebion yn y ffurf safonol:

a) $(4.5 \times 10^2)^2$

b) $\sqrt{4.9 \times 10^3}$

c) $\dfrac{0.534 \times 10^{-1}}{2.3 \times 10^{-4}}$

d) $\dfrac{4 \times 10^{-2}}{8 \times 10^{-3}}$

e) $(2.86 \times 10^{-3})^2$

f) $\sqrt{0.36 \times 10^{-2}}$

C6 Cyfrifwch y canlynol, gan ysgrifennu eich ateb fel rhif degol cyffredin:

a) $(2.4 \times 10^2) \div (1.5 \times 10)$
b) $(0.5 \times 10^{-1}) \times (3.2 \times 10^{-2})$
c) $(3.7 \times 10^4) \div (5.6 \times 10^3)$
d) $(0.03 \times 10^3) \times (0.71 \times 10^{-2})$
e) $256.3 \div (0.19 \times 10^2)$

f) $(2.76 \times 10^{-2}) \times 576$
g) $0.003 \times (2.4 \times 10^2)$
h) $(1.98 \times 10^{-4}) \div 0.0004$
i) $2,468 \times (0.9 \times 10^{-3})$
j) $(3.7 \times 10^{-5}) \div (1.5 \times 10^4)$.

Peidiwch ag anghofio os yw'r pŵer yn negatif, rydych yn symud y pwynt degol y ffordd arall.

3.4   Cwestiynau ar Ffurf Indecs Safonol

Ysgrifennwch y rhifau yng Nghwestiynau 7 i 11 yn y ffurf safonol.

C7   Mae'r pellter rhwng Paris a Rhufain yn 1476km.

C8   Mae cae petryalog yn 24,700cm wrth 15,000cm. Beth yw'r perimedr mewn m^2?

C9   Biliwn = miliwn miliwn   Triliwn = miliwn miliwn miliwn

C10   Mae blwyddyn golau yn 9,460,000,000,000km (yn fras).

C11   Teithiodd Nautilus 69,138 milltir cyn gorfod codi tanwydd.

Rhowch yr holl atebion i'r cwestiynau canlynol yn y ffurf safonol.

C12   Mae dwysedd hylif yn 1.25×10^3kg/m^3. Beth yw cyfaint 500g o'r hylif yma?

C13   Mae'r tabl yma'n rhoi diamedr a phellter rhai planedau oddi wrth yr Haul.

Planed	Pellter oddi wrth yr Haul (km)	Diamedr (km)
Y Ddaear	1.5×10^8	1.3×10^4
Fenws	1.085×10^8	1.2×10^4
Mawrth	2.28×10^8	6.8×10^3
Mercher	5.81×10^7	4.9×10^3
Iau	7.8×10^8	1.4×10^5
Neifion	4.52×10^9	4.9×10^4
Sadwrn	1.43×10^9	1.2×10^5

Gan edrych ar y tabl ysgrifennwch pa blaned :
a) yw'r lleiaf o ran diamedr
b) yw'r fwyaf o ran diamedr
c) yw'r agosaf at yr Haul
d) yw'r bellaf oddi wrth yr Haul.
Ysgrifennwch pa blanedau :
e) sydd yn nes at yr Haul na'r Ddaear
f) sydd yn fwy na'r Ddaear o ran diamedr.

C14   Mae cwarts yn dirgrynu tua 2.5 miliwn curiad yr eiliad.
Mae cesiwm yn dirgrynu tua 9,192,631,770 dirgryniad yr eiliad.
a) Ysgrifennwch y ddau rif yma yn y ffurf safonol.
b) Cyfrifwch faint o weithiau'n fwy yr eiliad mae cesiwm yn dirgrynu o'i gymharu â cwarts.

C15   Yn y tabl yma rhoddir pellter rhai dinasoedd o Calais.

Dinas	pellter mewn km o Calais
Amsterdam	360
Barcelona	1326
Hambwrg	714
Helsinki	1867
Madrid	1558
Marseille	1011

a) Ysgrifennwch bob pellter yn y ffurf safonol.
Cyfrifwch pa ddinas:
b) sydd agosaf at Calais
c) sydd bellaf o Calais
d) sydd oddeutu ddwywaith mor bell o Calais â Hambwrg.
e) Beth yw cymhareb y pellter rhwng Calais a Barcelona i'r pellter rhwng Calais a Madrid?

C16   Awr = 60 munud   Munud = 60 eiliad.
Ysgrifennwch, yn y ffurf safonol, y nifer o eiliadau sydd mewn awr.
a) Beth mewn km/eiliad yw buanedd awyren sy'n hedfan ar 8.7×10^2km/awr?
b) Mae buanedd golau oddeutu 3.0×10^8m/eiliad. Ysgrifennwch hyn mewn km/awr.

C17   Mae màs y Lleuad tua 0.0123 gwaith màs y Ddaear. Os yw màs y Ddaear yn 5.974×10^{21} tunnell fetrig, cyfrifwch beth yw màs y Lleuad, i 3 ffigur ystyrlon.

Efallai eich bod wedi sylwi fod y ffurf safonol yn cael ei defnyddio yn aml mewn gwyddoniaeth. Rhaid ei dysgu.

3.5 Cwestiynau ar Bwerau ac Israddau

Cyn cychwyn ar y tudalen yma sicrhewch eich bod yn gwybod y 7 rheol hawdd - a'r 3 rheol anodd. Maen nhw i'w cael ar Tud. 36 yn y Canllaw Adolygu.

Ar gyfer Cwestiynau 1 i 5 dylid rhoi'r atebion i 3 ffigur ystyrlon.

C1
a) $(6.5)^3$
b) $(0.35)^2$
c) $(15.2)^4$
d) $(0.04)^3$

e) $\sqrt{5.6}$
f) $\sqrt[3]{12.4}$
g) $\sqrt{109}$
h) $\sqrt[3]{0.6}$

i) $(1\frac{1}{2})^2$
j) $\sqrt{4\frac{3}{4}}$
k) $\left(\frac{5}{8}\right)^3$
l) $\sqrt[3]{\frac{9}{10}}$

Mae'n bosibl cael dau ail isradd - un positif ac un negatif. Cofiwch roi'r arwydd ± o flaen eich ateb.

C2
a) $(2.4)^2 + 3$
b) $5.9 - (1.2)^3$
c) $\sqrt[3]{5.6} + (4.2)^2$

d) $(6.05)^3 - \sqrt[3]{8.4}$
e) $6.1\left[35.4 - (4.2)^2\right]$
f) $95 - 3\left(\sqrt[3]{48} - 2.6\right)$

g) $1\frac{1}{2}\left[4 + (2\frac{1}{4})^2\right]$
h) $19 - 4\left[(\frac{1}{4})^2 + ((\frac{5}{8})^3)\right]$
i) $15\frac{3}{5} - 2\frac{1}{2}\left[(1\frac{3}{4})^3 - \sqrt[3]{1\frac{1}{2}}\right]$

C3
a) 5^{-3}
b) 2^{-2}
c) 16^{-4}
d) $(1.5)^{-1}$

e) $5^{\frac{1}{2}}$
f) $6^{\frac{1}{3}}$
g) $9^{\frac{1}{5}}$
h) $(4.2)^{\frac{2}{3}}$

i) $(1\frac{1}{4})^{-3}$
j) $(2\frac{3}{5})^{\frac{1}{5}}$
k) $(5\frac{1}{3})^{-2}$
l) $(10\frac{5}{6})^{\frac{5}{6}}$

C4 Defnyddiwch werth positif unrhyw ail isradd yn y cyfrifiadau hyn:

a) $\sqrt{(1.4)^2 + (0.5)^2}$
b) $5.9\left[(2.3)^{\frac{1}{4}} + (4.7)^{\frac{1}{2}}\right]$
c) $2.5 - 0.6\left[(7.1)^{-3} - (9.5)^{-4}\right]$
d) $(8.2)^{-2} + (1.6)^4 - (3.7)^{-3}$

e) $\dfrac{3\sqrt{8} - 2}{6}$
f) $\dfrac{15 + 3\sqrt{4.1}}{2.4}$
g) $3\sqrt{4.7} - 4\sqrt{2.1}$
h) $\dfrac{(2\frac{1}{4})^{-2} - (3\frac{1}{2})^{\frac{1}{2}}}{4.4}$

C5 Defnyddiwch werth positif unrhyw ail isradd yn y cyfrifiadau hyn:

a) $(2\frac{1}{4})^3 - (1.5)^2$
b) $(3.7)^{-2} + (4\frac{1}{5})^{\frac{1}{4}}$
c) $\sqrt[3]{5\frac{1}{3}} \times (4.3)^{-1}$
d) $(7.4)^{\frac{1}{3}} \times (6\frac{1}{4})^3$
e) $\dfrac{\sqrt{22\frac{1}{2}} + (3.4)^2}{(6.9)^3 \times 3.4}$

f) $\dfrac{(15\frac{3}{5})^2 \times (2.5)^{-3}}{3 \times 4\frac{1}{4}}$
g) $5\left[(4.3)^2 - (2.5)^{\frac{1}{2}}\right]$
h) $\dfrac{3.5(2\frac{1}{6} - \sqrt{4.1})}{(3.5)^2 \times (3\frac{1}{2})^{-2}}$
i) $\dfrac{1\frac{1}{2} + \frac{1}{4}\left[(2\frac{2}{3})^2 - (1.4)^2\right]}{(3.9)^{-3}}$
j) $\sqrt[3]{2.73} + 5\sqrt{2}$

Cofiwch, mae'r pŵer $\frac{1}{2}$ yn golygu ail isradd.

ADRAN TRI — MANION

3.5 *Cwestiynau ar Bwerau ac Israddau*

C6 Gan ddefnyddio'r fformiwla $V = \frac{4}{3}\pi r^3$

   a) Darganfyddwch V os yw r = 1.4

   b) Darganfyddwch r os yw V = 32.

C7 Gan ddefnyddio'r fformiwla $s = \frac{v^2 - u^2}{2a}$, darganfyddwch s os yw:

   a) $v = 1\frac{2}{3}$, $u = \frac{5}{6}$, a = 3

   b) v = 5.6, u = 3.4, a = 2.1.

C8 O wybod fod p = 2.3, q = 3½, r = −1.2, cyfrifwch

   a) $p^2 + q^3$ **e)** $(q - r)^3 - p^4$

   b) $p^{-2} + q^{\frac{1}{2}} + r^2$ **f)** $q^{\frac{2}{3}} + r^{\frac{1}{4}}$

   c) $(p + q)^{-2} - r^{\frac{1}{3}}$ **g)** $q^{-2} + r^{-3}$

   d) $p^{\frac{2}{3}} - q^{\frac{1}{3}}$ **h)** $p^{-2} + q^{\frac{1}{2}} - r^3$.

C9 Roedd Jên eisiau cyfrifo $\left(\frac{4.8 + 1.27}{1.2}\right)^2$

Cafodd yr ateb 34.320069, sy'n anghywir.

   a) Darganfyddwch yr ateb cywir.

   b) Awgrymwch reswm pam y cafodd hi'r ateb anghywir.

C10 Gan ddefnyddio'r fformiwla $y = \dfrac{x - t}{\sqrt{1 - v^2}}$

darganfyddwch y pan yw:

   a) x = 40, t = 2, v = 0.5

   b) x = 35.6, t = 1.45, $v = \frac{1}{4}$.

C11 Gan ddefnyddio'r fformiwla $s = ut + \frac{1}{2}at^2$:

   a) darganfyddwch s os yw u = 1.2, t = 5 ac $a = 2\frac{1}{2}$

   b) darganfyddwch u os yw s = 15.6, t = 0.3 ac a = 2

   c) darganfyddwch a os yw s = 25, u = 10 a t = 0.5.

C12 Gan ddefnyddio'r fformiwla $E = \frac{1}{2}v^2 + gh$:

   a) darganfyddwch E os yw v = 4.2, g = 9.8 a h = −12.9

   b) darganfyddwch g os yw E = 63, $v = 4\frac{1}{2}$ a h = 5.3

   c) darganfyddwch v os yw E = 114, g = 7.5 a $h = 2\frac{3}{4}$.

3.6 Cwestiynau ar Pythagoras a Chyfeiriannau

Peidiwch â cheisio cyfrifo popeth yn eich pen. Rhaid i chi labelu'r ochrau neu byddwch yn sicr o wneud camgymeriadau.

C1 Darganfyddwch hyd yr hypotenws ym mhob un o'r trionglau canlynol.

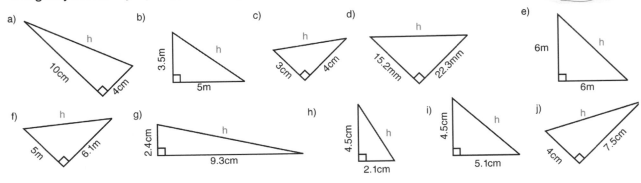

C2 Darganfyddwch hyd yr ochr fyrraf ym mhob un o'r trionglau canlynol.

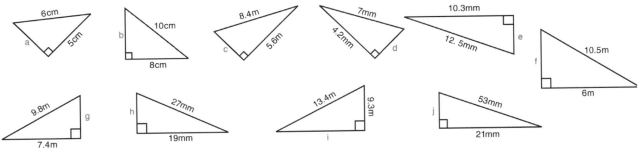

C3 Darganfyddwch yr hyd anhysbys ym mhob un o'r trionglau canlynol.

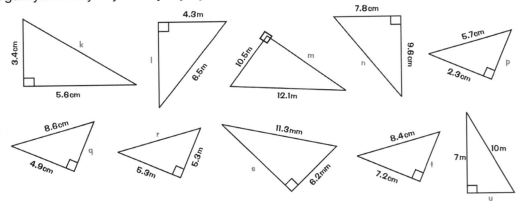

C4 Darganfyddwch y cyfeiriannau a nodir yn y diagramau hyn.

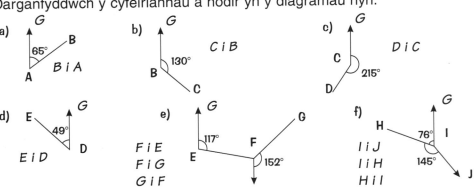

Mae'n hawdd mynd ar goll os nad ydych yn dilyn y rheol hawdd: cofiwch fesur cyfeiriannau o <u>Linell y Gogledd.</u>

3.6 Cwestiynau ar Pythagoras a Chyfeiriannau

C5   Mae ysgol 11m o hyd yn pwyso yn erbyn wal. Os yw gwaelod yr ysgol 6.5m oddi wrth y wal, pa mor bell i fyny'r wal fydd hi'n cyrraedd?

C6   Mae cae petryalog yn 250m wrth 190m. Beth yw hyd croeslin y cae?

C7 a) Cyfrifwch hydoedd WY a ZY.
    b) Beth yw cyfanswm pellter WXYZW?
    c) Beth yw arwynebedd pedrochr WXYZ?

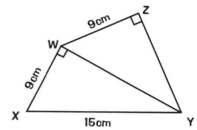

   Wrth ateb cwestiynau ar gyfeiriannau y gair allweddol yw 'oddi wrth' neu 'o' - mae'n dweud wrthych ym mhle i gychwyn.

C8   Mae awyren yn hedfan yn union i'r Dwyrain am 153km ac yna'n troi ac yn hedfan yn union i'r Gogledd am 116km. Pa mor bell yw'r awyren yn awr o'i man cychwyn?

C9   Mae gan liain bwrdd sgwâr groeslin sy'n mesur 130cm. Beth yw hyd un ochr?

C10   Mae polyn fflag 10m o uchder yn cael ei gynnal gan wifrau metel a phob un yn 11m o hyd. Pa mor bell o droed y polyn fydd yn rhaid i'r gwifrau gael eu gosod os yw'r pen arall ynghlwm wrth ben y polyn?

C11   Mae gwyliwr y glannau yn gweld cwch ar gyfeiriant o 040° sydd 350m i ffwrdd. Mae'n gallu gweld coeden hefyd yn union i'r Dwyrain oddi wrtho. Os yw'r goeden yn union i'r De o'r cwch, mesurwch y pellterau canlynol yn fanwl gywir:
    a) y pellter rhwng y cwch a'r goeden
    b) y pellter rhwng y gwyliwr a'r goeden.
    c) Defnyddiwch Pythagoras i wirio fod eich atebion yn rhai synhwyrol.

Erbyn i chi orffen y rhan hon, bydd yn amhosibl i chi fynd ar goll.

C12   Mae'r pedair tref W, X, Y ac Z wedi eu lleoli fel hyn:
Mae W 90km i'r Gogledd o X, mae Y ar gyfeiriant o 175° a 165km o X, mae X ar gyfeiriant o 129° a 123km o Z. Lluniwch ddiagram wrth raddfa manwl gywir i gynrychioli'r sefyllfa. Defnyddiwch eich lluniad i fesur y pellteroedd canlynol:
    a) WZ   **b)** WY   **c)** ZY
    Mesurwch y cyfeiriannau:
    d) Y o Z   **e)** W o Z   **f)** Y o W.

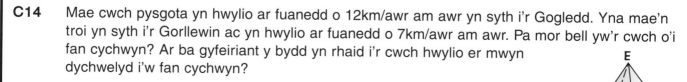

C13   Mae cerddwraig yn teithio 1200m ar gyfeiriant o 165° ac yna 1500m eto ar gyfeiriant o 210°. Gan fesur yn fanwl gywir, darganfyddwch pa mor bell yw hi yn awr o'i man cychwyn? Ar ba gyfeiriant y bydd yn rhaid iddi gerdded er mwyn dychwelyd i'w man cychwyn?

C14   Mae cwch pysgota yn hwylio ar fuanedd o 12km/awr am awr yn syth i'r Gogledd. Yna mae'n troi yn syth i'r Gorllewin ac yn hwylio ar fuanedd o 7km/awr am awr. Pa mor bell yw'r cwch o'i fan cychwyn? Ar ba gyfeiriant y bydd yn rhaid i'r cwch hwylio er mwyn dychwelyd i'w fan cychwyn?

C15   Mae'r pyramid yma ar sylfaen sgwâr, ochr 56cm. Mae ei uchder fertigol yn 32cm. Cyfrifwch hyd:
    a) y llinell E hyd at ganolbwynt BC   **b)** yr ymyl oleddol BE

3.6 Cwestiynau ar Pythagoras a Chyfeiriannau

C16 Mae ysgol $4\frac{1}{2}$m yn cael ei gosod yn erbyn wal i gyrraedd ffenestr sydd 2.5m uwchben y llawr. Pa mor bell o waelod y wal yw gwaelod yr ysgol?

C17 Mae awyren yn hedfan pellter o 240km o A i B ar gyfeiriant o 155°. Mae C yn union i'r De o A ac mae'r pellter rhwng C ac A yn 315km. Gan ddefnyddio lluniad wrth raddfa mesurwch:
   a) gyfeiriant C o B
   b) gyfeiriant B o C
   c) bellter BC.
   d) Os yw awyren yn hedfan o A i B i C ac yn ôl i A, cyfrifwch gyfanswm y pellter sy'n cael ei hedfan.

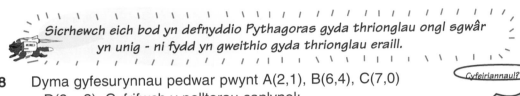

Sicrhewch eich bod yn defnyddio Pythagoras gyda thrionglau ongl sgwâr yn unig - ni fydd yn gweithio gyda thrionglau eraill.

Cyfeiriannaul?

C18 Dyma gyfesurynnau pedwar pwynt A(2,1), B(6,4), C(7,0) a D(3,−3). Cyfrifwch y pellterau canlynol:
   a) AB   **b)** BC   **c)** CD   **d)** BD   **e)** AC
   f) Beth yw siâp ABCD?
   g) Cyfrifwch arwynebedd ABCD.

C19 Mae llong yn hwylio 185km ar gyfeiriant o 300°. Yn awr mae'r llong 110km yn union i'r Gorllewin o oleudy. Gan ddefnyddio lluniad wrth raddfa i fesur, darganfyddwch beth oedd pellter y llong a'i chyfeiriant o'r goleudy pan gychwynnodd ar ei thaith.

C20 Darganfyddwch arwynebedd triongl isosgeles pan fydd yr ochrau yn mesur:
   a) 4cm, 4cm, 4cm
   b) 9.5cm, 9.5cm, 10cm
   c) 15.3cm, 15.3cm, 22.7cm

Byddai'n syniad da gwneud eich lluniau eich hun ar gyfer y cwestiynau yma.

C21 Cyfrifwch arwynebedd hecsagon rheolaidd ag ochr 6cm.

C22 Mae bocs petryalog yn mesur 20cm wrth 30cm wrth 8cm. Cyfrifwch hydoedd y canlynol:
   a) croeslin bob wyneb petryalog
   b) y groeslin drwy ganol y bocs.

C23 Rhoddir lletem rwber o dan olwynion awyren i'w rhwystro rhag symud pan fydd ar y ddaear. Dangosir lletem nodweddiadol ar gyfer awyren fawr yn y llun gyferbyn.
   a) Cyfrifwch gyfaint y rwber.
   b) Cyfrifwch beth yw màs y lletem os defnyddiwyd cyfansoddyn rwber â dwysedd o 1.7g/cm^3.
   c) A fyddai person yn gallu codi'r lletem yma a'i osod yn ei le?

C24 Mae gan goridor led o 2.5m a thro ongl sgwâr. Gweler y llun.
   a) Beth yw'r ysgol hwyaf y gellir ei chario yn llorweddol ar hyd y coridor yma?
   b) Os yw uchder y coridor yn 3.5m, beth yw'r ysgol hwyaf y gellir ei chario ar hyd y coridor i unrhyw gyfeiriad?

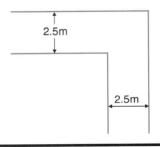

3.7 *Cwestiynau ar Drigonometreg*

Cyn i chi ddechrau gwneud cwestiwn trigonometreg, ysgrifennwch y cymarebau, gan ddefnyddio SCH CAH TCA. Bydd hyn yn gymorth i chi ddewis eich triongl fformiwla.

C1   Defnyddiwch y gymhareb tangiad i ddarganfod yr anhysbysion:

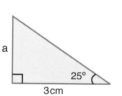
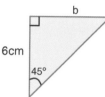
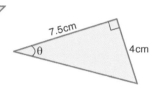
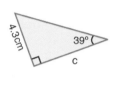

C2   Defnyddiwch y gymhareb cosin i ddarganfod yr anhysbysion:

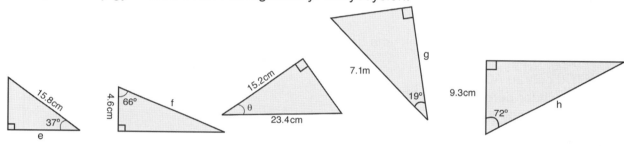

C3   Defnyddiwch y gymhareb sin i ddarganfod yr anhysbysion:

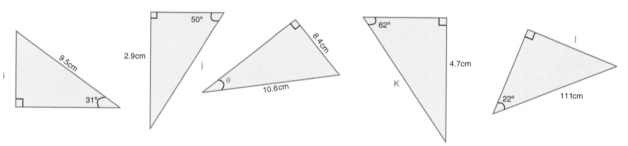

C4   Darganfyddwch yr anhysbysion gan ddefnyddio'r cymarebau priodol:

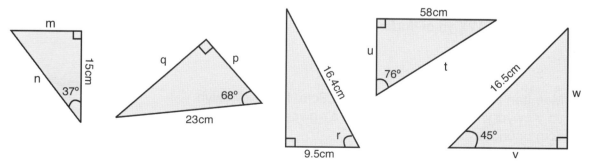

C5   Cyfrifwch tan, sin a cos bob un o'r onglau hyn:
   a) 17°   **b)** 83°   **c)** 5°   **d)** 28°   **e)** 45°

3.7 Cwestiynau ar Drigonometreg

C6 Tangiad pa onglau sy'n:
a) 2.43   b) 0.56?
Sin pa onglau sy'n:
c) 0.56   d) 0.31?
Cosin pa onglau sy'n:
e) 0.56   f) 0.31?

Sicrhewch eich bod yn gallu defnyddio ffwythiannau gwrthdro SIN, COS a TAN ar eich cyfrifiannell ... a gwiriwch ei fod yn y modd DEG neu byddwch yn gwastraffu amser.

C7 Cyfrifwch uchder y goeden gan ddefnyddio'r mesuriadau sydd yn y diagram.

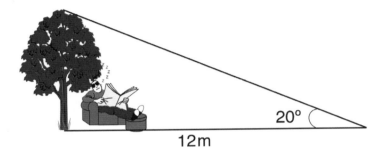

12m   20°

C8 Mae gan y triongl isosgeles yma sail o 28cm ac ongl uchaf o 54°. Cyfrifwch:
a) hyd ochrau AC a BC
b) yr uchder perpendicwlar i C
c) arwynebedd y triongl.

C9 Yn y paralelogram yma mae'r groeslin CB yn ffurfio ongl sgwâr ag AC. Mae AB yn 9.5cm a ∠CAB yn 60°. Cyfrifwch:
a) CB   b) BD   c) arwynebedd y paralelogram.

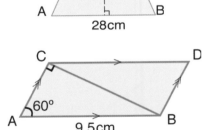

C10 Mae gan y rhombws WXYZ sail 15cm a chroeslin WY sy'n 28cm. Cyfrifwch y canlynol:
a) hyd croeslin XZ
b) arwynebedd y rhombws
c) yr ongl mae WY yn ei ffurfio ag WX.

C11 Mae gan y gwydryn yma radiws o 2.8cm. Mae'r gwelltyn yn y gwydryn yn ffurfio ongl o 70° â'r gwaelod ac mae 4cm ohono uwchlaw'r ymyl.
a) Beth yw uchder y gwydryn?
b) Beth yw hyd y gwelltyn?

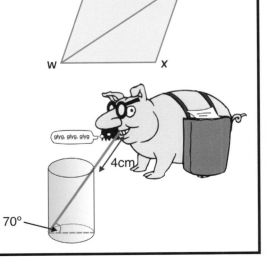

3.7   Cwestiynau ar Drigonometreg

Peidiwch â dychryn wrth weld y cylch! Cwestiwn digon cyffredin yw hwn. Labelwch yr ochrau a bydd popeth yn iawn.

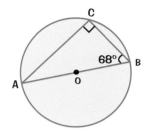

C12   Diamedr cylch â radiws 6cm yw AOB.
Mae ∠ACB yn ongl sgwâr. Cyfrifwch:
  a) AC   **b)** CB   **c)** arwynebedd y triongl ABC.

C13   Mae cwch yn hwylio 9km yn union i'r De ac yna 7km yn union i'r Dwyrain. Ar ba gyfeiriant fydd yn rhaid i'r cwch hwylio er mwyn dychwelyd i'w fan cychwyn?

C14   Mae gan driongl isosgeles ddwy ochr hafal sy'n 7cm ag ongl o 65° rhyngddynt. Cyfrifwch arwynebedd y triongl.

C15   Mae ysgol 12m yn cael ei gosod yn erbyn wal ac mae'n cyrraedd 8.5m i fyny'r wal. Cyfrifwch:
  a) pa mor bell yw gwaelod yr ysgol oddi wrth y wal.
  b) yr ongl mae'r ysgol yn ei ffurfio â'r llawr.

C16   Mae merch sy'n 1.3m o daldra yn hedfan barcut ar linyn 45m. Mae llinyn y barcut yn ffurfio ongl o 33° â'r llorwedd. Beth yw uchder fertigol y barcut o'r llawr?

C17   Rydw i'n sefyll ar ben twr 80m o uchder. Rydw i'n edrych yn syth i'r Gogledd ac yn gweld dau gar ag onglau gostwng o 38° a 49°. Cyfrifwch:
  a) pa mor bell yw pob car oddi wrth waelod y twr
  b) pa mor bell yw'r ceir oddi wrth ei gilydd.

C18   Mae llong yn hwylio 100km ar gyfeiriant o 300°. Yna mae'r capten yn gallu gweld goleudy sydd yn union i'r De oddi wrtho ac mae'n gwybod fod y goleudy hwn yn union i'r gorllewin o'i fan cychwyn. Cyfrifwch pa mor bell i'r gorllewin yw'r goleudy o fan cychwyn y llong.

C19   Mae uchder dau fynydd yn 1020m a 1235m. Rydw i'n sefyll ar gopa'r mynydd lleiaf ac yn edrych i fyny drwy ongl godi o 16° i weld copa'r mynydd uchaf. Cyfrifwch y pellter llorweddol rhwng y ddau fynydd.

C20

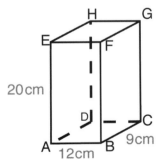

Mae'r bocs petryalog yma yn 20cm wrth 12cm wrth 9cm. Cyfrifwch:
  a) ∠FAB
  b) hyd AF
  c) hyd DF
  d) ∠AFD.

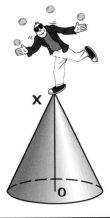

C21   Mae uchder perpendicwlar y côn yma'n 9cm. Canol y sail yw O. Mae'r llinell oledd o X yn ffurfio ongl o 23° gyda'r echelin ganol. Cyfrifwch:
  a) radiws y sail
  b) arwynebedd y sail
  c) gyfaint y côn.

ADRAN TRI — MANION

3.8 Cwestiynau ar y Rheolau Sin a Cosin

Sicrhewch eich bod yn gwybod y Rheol Sin a <u>dwy ffurf</u> y Rheol Cosin.
Fel arall fydd gennych chi ddim gobaith yn yr arholiad.

C1 Cyfrifwch yr hydoedd a nodir i 3 ffigur ystyrlon.

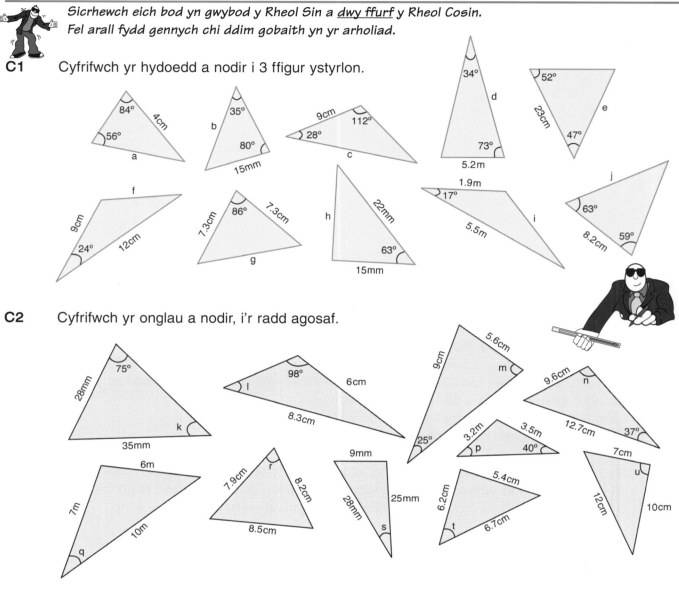

C2 Cyfrifwch yr onglau a nodir, i'r radd agosaf.

C3 Cyfrifwch yr ochrau a'r onglau sydd wedi eu marcio â llythrennau.

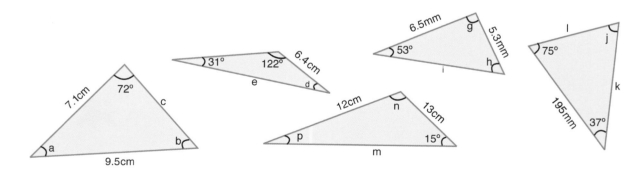

C4 Mae Peredur yn sefyll ar bont sy'n croesi afon. Mae'n gallu gweld coeden ar bob glan, y naill 33m oddi wrtho a'r llall 35m oddi wrtho. Os yw'n edrych drwy ongl o 20° i fynd o un goeden i'r llall, pa mor bell yw'r coed oddi wrth ei gilydd?

3.8   Cwestiynau ar y Rheolau Sin a Cosin

C5   Mae gwyliwr y glannau yn gweld cwch sydd ar gyfeiriant o 038° oddi wrtho ac sydd 25km i ffwrdd. Mae hefyd yn gweld llong sydd 42km i ffwrdd ac ar gyfeiriant o 080°. Cyfrifwch:

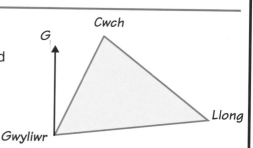

a) bellter y cwch o'r llong

b) gyfeiriant y cwch o'r llong.

C6   Yn y diagram dangosir mesuriadau cae. Cyfrifwch:

a) ∠ZXY

b) ∠XYZ

c) ∠YZX.

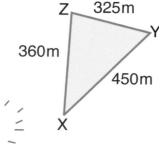

Os nad ydych yn sicr pa reol i'w defnyddio, rhowch gynnig ar y Rheol Sin i ddechrau, gan ei bod yn haws. Fel arfer, fodd bynnag, ni fydd gennych lawer o ddewis.

C7   Mae gan driongl isosgeles ddwy ochr hafal o 7.5cm ac ongl o 56°. Gwnewch fraslun o ddau driongl posibl gan ddefnyddio'r wybodaeth hon a chyfrifwch y ddau ateb ar gyfer hyd y drydedd ochr.

C8   Mae ochrau paralelogram yn 8cm a 4.5cm. Mae gan y paralelogram un ongl sy'n 124°. Cyfrifwch hydoedd y ddwy groeslin.

C9   Ar fy nghloc mae'r bys bach yn 5.5cm, y bys mawr yn 8cm a'r bys eiliadau yn 7cm, wedi eu mesur o'r canol. Cyfrifwch y pellter rhwng blaenau'r canlynol:

a) y bys bach a'r bys mawr am 10 o'r gloch

b) y bys mawr a'r bys eiliadau 15 eiliad cyn 20 munud wedi'r awr

c) y bys bach a'r bys mawr am 1020.

C10   Mae gan bolyn fflag fertigol FP ddwy wifren gynnal sy'n sownd yn y ddaear yn A a B.
Ni allant fod yn gytbell o P, gan fod y ddaear yn anesmwyth. Mae AB yn 22m, ∠PAB yn 34° a ∠PBA yn 50°. Cyfrifwch y pellteroedd canlynol:

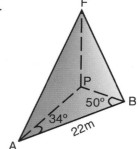

a) PA

b) PB.

Os yw onglau codi F o A yn 49°, cyfrifwch:

c) FA

d) PF.

C11   Mae awyren yn gadael A ac yn hedfan 257km i B ar gyfeiriant o 257°. Yna mae'n hedfan ymlaen i C, sydd 215km i ffwrdd ar gyfeiriant o 163° o B. Cyfrifwch:

a) ∠ABC

b) y pellter CA

c) y cyfeiriant angenrheidiol i hedfan o A yn syth i C.

C12   Roedd Elin a Gwenno yn sefyll un y tu ôl i'r llall, y ddwy ohonynt yn hedfan barcut gyda dau linyn. Roedd onglau codi y barcutau o'r merched yn 65° a 48° yn eu trefn. Os oedd Gwenno 2.3m y tu ôl i Elin, cyfrifwch hyd pob llinyn.

3.9   Cwestiynau ar Graffiau Sin, Cos a Tan

Cofiwch - dim ond gwerthoedd rhwng −1 ac 1 sydd gan *Sin* a *Cos*

C1

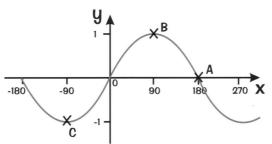

Dyma graff y = sin(x).
Ysgrifennwch gyfesurynnau'r pwyntiau A, B ac C.

C2

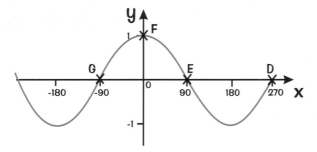

Dyma graff y = cos(x).
Ysgrifennwch gyfesurynnau'r pwyntiau D, E ac F a G.

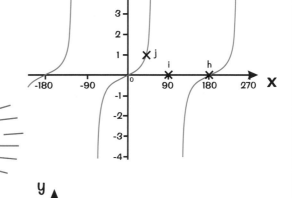

C3   Dyma graff y = tan(x).
Ysgrifennwch gyfesurynnau'r pwyntiau h, i a j.

Peidiwch ag anghofio - mae *rhywbeth rhyfedd* yn digwydd i Tan pan yw'r ongl yn 90°, 270°, 450°, etc. mae'n rhuthro i *anfeidredd +* ond yn dychwelyd eto (*o anfeidredd −*).

C4   Pa rai o'r graffiau, y = sin(x), y = cos (x), y = tan(x) sy'n mynd drwy'r pwyntiau sydd wedi eu labelu yn A, B, C, ... J? (Weithiau mae hyn yn wir am fwy nag un ohonynt).

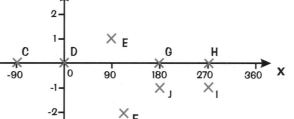

C5   Plotiwch y pwyntiau a roddir yn y tabl yma.

x	0	90	180	270	360
y	2	1	0	1	2

Ysgrifennwch hafaliad ar gyfer y gromlin rydych chi wedi ei phlotio.

C6   Lluniwch gromlin y canlynol:
a) y = sin(2x)
b) y = 2sin(2x) ar gyfer 0° ≤ x ≤ 360°.

C7   Lluniwch gromlin y = 1 + cos(x) ar gyfer − 180° ≤ x ≤ 180°

3.9 *Cwestiynau ar Graffiau Sin, Cos a Tan*

C8   Lluniwch gromlin $y = -\sin(x)$ ar gyfer $0° \leqslant x \leqslant 360°$.
Pa drawsffurfiad yw hyn o $y = \sin(x)$?

C9   Lluniwch graff manwl gywir o $y = 10\cos(x)$ ar gyfer $-180° \leqslant x \leqslant 180°$.
Ar yr un echelinau lluniwch graff o $10y = x + 20$.
Ysgrifennwch y cyfesurynnau lle mae'r graffiau'n croesi. Dangoswch sut y gellir defnyddio hyn i ddarganfod datrysiad ar gyfer yr hafaliad:
$$20 = 100\cos(x) - x.$$

C10   Cwblhewch y tabl gwerthoedd yma ar gyfer $\sin(x)$ a $(\sin(x))^2$.

X	0	10	20	30	40	50	60	70	80	90
sin x		0.17		0.5						1
$(\sin x)^2$		0.03		0.25						1

Lluniwch echelinau ar gyfer y graff o $-180° \leqslant x \leqslant 180°$.
Plotiwch y pwyntiau ar gyfer $(\sin(x))^2$.
O'r hyn a wyddoch am graffiau sin, lluniwch weddill y graff ar gyfer y terfannau a roddir.

C11   Lluniwch graff manwl gywir o $y = \tan(x)$ ar gyfer $0° \leqslant x \leqslant 360°$. Rhowch y gwerthoedd -10 i $+10$ ar echelin y.
Ar yr un echelin, lluniwch graff o $10y - x = 25$.
Defnyddiwch eich graffiau i ddarganfod datrysiad bras i'r hafaliad $x = 10\tan(x) - 25$.

C12   Lluniwch dabl o bwyntiau i blotio $y = \tan(x) + \sin(x)$:
a) ar gyfer $-90° \leqslant x \leqslant 90°$

x	-90	-70	-50	-30	-10	0	10	30	50	70	90
tan x		-2.75			-0.18			0.58			
sin x		-0.94			-0.17			0.5			
y		-3.69			-0.35			1.08			

b) ar gyfer $90° \leqslant x \leqslant 270°$.

x	90	110	130	150	180	200	220	240	270
tan x			-1.19						
sin x			0.77						
y			-0.42						

Gwnewch fraslun o siâp y graff ar gyfer $-90° \leqslant x \leqslant 270°$.
Pam oedd yn rhaid i chi blotio amrediad mor eang o bwyntiau?

3.10 Cwestiynau ar Onglau o Unrhyw Faint

C1

Graff o y = sin x   −720° ≤ x ≤ 720°

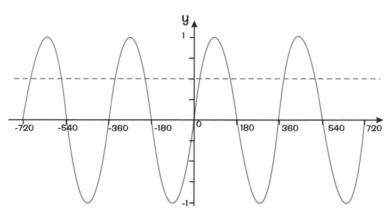

Mae'r llinell doredig y = 0.5 yn rhoi'r gwerthoedd x canlynol:
−690°, −570°, −330°, −210°, 30°, 150°, 390°, 510°.

Ysgrifennwch holl werthoedd x rhwng − 720° a + 720°, pan yw:

a) sin(x) = −0.5
b) sin(x) =   0.1
c) sin(x) = −0.9

Cofiwch - mae graff _Cos_ yn _gymesur o amgylch y llinell_ x = 0,
ond nid yw hyn yn wir am y graff _Sin_.

C2   Dangosir graff y = cos(x) isod ar gyfer −720° ≤ x ≤ 720°.

Graff o y = cos x   −720° ≤ x ≤ 720°

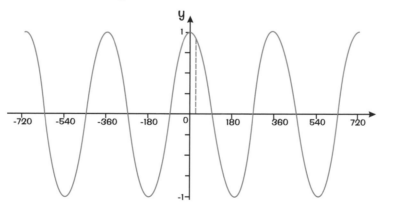

Mae'r llinell doredig yn x = 30° yn dangos cos(30°) = 0.9.
Ysgrifennwch yr holl onglau eraill sydd rhwng −720° a +720° pan yw:

a) cos(x) = 0.9
b) cos(x) = 0.5
c) cos(x) = − 0.6

Eglurwch pam y mae'r gwerthoedd positif a negatif yr un fath ar gyfer cos,
ond nid felly ar gyfer sin.

3.10   Cwestiynau ar Onglau o Unrhyw Faint

C3   Dangosir graff y = tan(x) isod ar gyfer −450° ≤ x ≤ 450°.

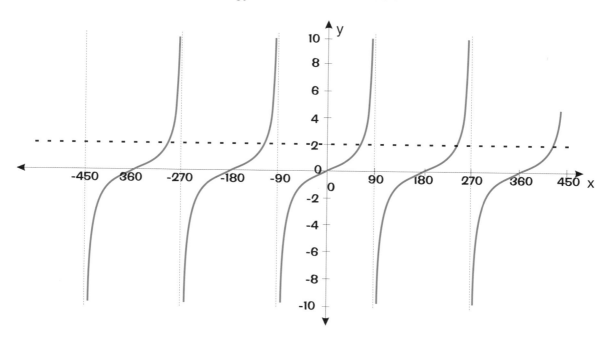

Mae'r llinell doredig y = 2 yn rhoi gwerthoedd x o:
−297°, −117°, 63°, 243°, 423°.

Ysgrifennwch holl werthoedd x rhwng − 450° ≤ x ≤ 450°, i'r radd agosaf, pan yw:
a) tan(x) = −1
b) tan(x) = 0.5
c) tan(x) = 3.

C4   Ysgrifennwch 4 gwerth posibl x, i'r radd agosaf, os yw:
a) sin(x) = 0.39
b) cos(x) = 0.39
c) tan(x) = −39.

C5   Ysgrifennwch sin, cosin a thangiad bob un o'r onglau yma, i 3 ffigur ystyrlon.
a) 175°
b) −175°
c) 405°
d) −735°.
e) Beth ydych chi'n sylwi ynglŷn â'r atebion i **a)** a **b)**?
f) Allwch chi roi rheswm am hyn?

3.11   *Cwestiynau ar Fectorau*

*Ydych chi'n cofio'r Pedwar Nodiant? Mae'n rhaid i chi wybod pob
un ohonynt er mwyn gallu adnabod fectorau.*

C1   Ysgrifennwch y fectorau sydd wedi eu nodi â llythyren, yna cyfrifwch y fector cydeffaith.

Defnyddiwch y diagram i wirio'r cydeffaith.

e.e.

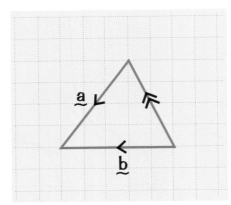

$$a = \begin{pmatrix} -3 \\ -4 \end{pmatrix} \quad b = \begin{pmatrix} -5 \\ 0 \end{pmatrix}$$

$$-a + b = \begin{pmatrix} 3 \\ 4 \end{pmatrix} + \begin{pmatrix} -5 \\ 0 \end{pmatrix} = \begin{pmatrix} -2 \\ 4 \end{pmatrix}$$

fel yn y triongl.

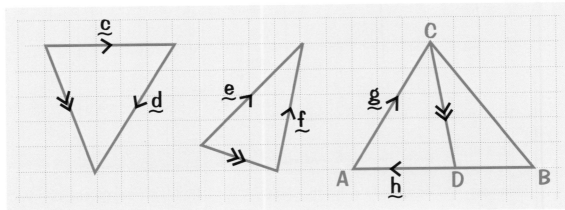

C2 $p = \begin{pmatrix} 2 \\ 3 \end{pmatrix}$, $q = \begin{pmatrix} 0 \\ -2 \end{pmatrix}$, $r = \begin{pmatrix} 3 \\ -1 \end{pmatrix}$, $s = \begin{pmatrix} -1 \\ -2 \end{pmatrix}$

Cyfrifwch y canlynol, yna ewch ati i'w llunio:

a) $p + q$ c) $2r$ e) $2p - 2s$ g) $2r - q$ i) $p + 2s$

b) $p - q$ d) $s + p$ f) $3q + s$ h) $^1/_2 q + 2r$ j) $q - 2r$

C3   M yw canolbwynt $\overrightarrow{WX}$

$a = \overrightarrow{WZ}$ a $b = \overrightarrow{WM}$

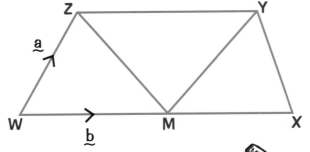

Os yw $\overrightarrow{MY} = c$, mynegwch y canlynol yn nhermau a, b ac c:

a) $\overrightarrow{MZ}$ b) $\overrightarrow{MX}$ c) $\overrightarrow{ZX}$ d) $\overrightarrow{XY}$ e) $\overrightarrow{ZY}$ f) $\overrightarrow{WY}$

3.11 *Cwestiynau ar Fectorau*

C4 Pentagon yw ABCDE.

$$\overrightarrow{AB} = \begin{pmatrix} 3 \\ 3 \end{pmatrix} \quad \overrightarrow{AC} = \begin{pmatrix} 2 \\ 6 \end{pmatrix} \quad \overrightarrow{AD} = \begin{pmatrix} -2 \\ 6 \end{pmatrix} \quad \overrightarrow{AE} = \begin{pmatrix} -3 \\ 2 \end{pmatrix}$$

a) Lluniwch y pentagon yma'n fanwl gywir.

b) Ysgrifennwch y fectorau canlynol:

    i) $\overrightarrow{DE}$ **ii)** $\overrightarrow{DC}$ **iii)** $\overrightarrow{EC}$

c) Pa fath o driongl yw $\triangle$ACD?

C5

$$\overrightarrow{OX} = 3\underset{\sim}{a} + 3\underset{\sim}{b}$$
$$\overrightarrow{OY} = 5\underset{\sim}{a} + 2\underset{\sim}{b}$$
$$\overrightarrow{OZ} = 6\underset{\sim}{a}$$

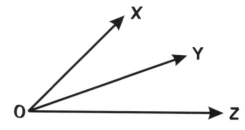

Nid yw'r diagram hwn wedi ei lunio wrth raddfa.

Mynegwch y canlynol yn nhermau a a b:

a) $\overrightarrow{XY}$

b) $\overrightarrow{YZ}$

c) $\overrightarrow{XZ}$

d) Beth mae hyn yn ei ddweud wrthych am driongl OXZ?

C6

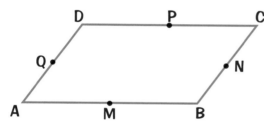

Paralelogram yw ABCD.
Mae MNPQ yn ganolbwyntiau'r ochrau, fel sy'n cael ei ddangos.
Os yw $\overrightarrow{MQ} = \underset{\sim}{x}$ ac $\overrightarrow{AM} = \underset{\sim}{y}$

Mynegwch y canlynol yn nhermau $\underset{\sim}{x}$ ac $\underset{\sim}{y}$:

a) $\overrightarrow{AB}$ c) $\overrightarrow{NB}$ e) $\overrightarrow{AC}$

b) $\overrightarrow{AQ}$ d) $\overrightarrow{BC}$ f) $\overrightarrow{BD}$

C7 Yn y diagram ar y dde, mae EB ac AC yn berpendicwlar. Paralelogram yw ABCE. Mae $\angle$EDC yn ongl sgwâr.

Enwch fector sy'n hafal i'r canlynol:

a) $\overrightarrow{FC}$ c) $\overrightarrow{BC}$ e) $2\overrightarrow{CD}$ g) $\overrightarrow{EF} - \overrightarrow{CF}$

b) $\overrightarrow{FB}$ d) $\overrightarrow{CE}$ f) $\overrightarrow{AE} + \overrightarrow{EC}$ h) $\overrightarrow{ED} + \overrightarrow{DC} + \overrightarrow{CB}$

Os yw AC = 16cm ac EB = 6cm
i) Beth yw arwynebedd ABCE?
ii) Beth yw arwynebedd ABCDE?

Bydd yn rhaid i chi ymarfer yr holl waith yma ar drionglau ongl sgwâr - Pythagoras, Trigonometreg ac yn y blaen.

3.12 Cwestiynau ar Fectorau Go Iawn

Edrychwch ar y lluniau yma. Sicrhewch eich bod yn deall beth yw'r cysylltiad rhyngddynt â'r cwestiynau, gan y bydd yn rhaid i chi dynnu'r lluniau eich hun ar y tudalen nesaf.

C1 Mewn dŵr llonydd mae fy nghwch modur yn gallu cyrraedd buanedd o 9km/awr. Rydw i'n anelu fy nghwch yn syth ar draws yr afon sy'n llifo ar fuanedd o 3km/awr.
Beth yw fy muanedd cydeffaith?

C2

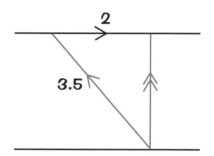

Mae merch eisiau nofio ar draws afon sy'n llifo ar fuanedd o 2km/awr.
Os yw hi'n gallu nofio ar fuanedd o 3.5km/awr, cyfrifwch:
a) ar ba ongl i'r lan y dylai hi nofio i fynd yn syth ar draws
b) fuanedd cydeffaith y ferch.

C3 Mae awyren yn ceisio hedfan yn syth i'r Gogledd. Mae'n gallu cyrraedd buanedd o 600km/awr ond mae gwynt o'r gorllewin yn chwythu ar fuanedd o 75km/awr. Cyfrifwch:

a) ar ba gyfeiriant mae'r awyren yn hedfan mewn gwirionedd
b) fuanedd cydeffaith yr awyren.

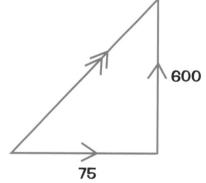

C4 Yn y diagramau canlynol mae'r grymoedd yn gweithredu ar wrthrych fel y gwelir yn y diagramau.

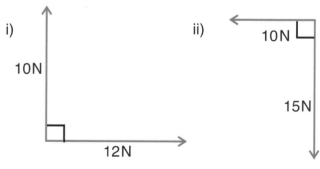

Ym mhob achos darganfyddwch:
a) y grym cydeffaith
b) ei gyfeiriad mewn perthynas â'r grym mwyaf.

3.12 Cwestiynau ar Fectorau Go Iawn

Ar gyfer y rhain rydych un ai yn *gorfod rhannu'r fectorau yn gydrannau* - F COS θ a F SIN θ, neu *adio'r fectorau* ynghyd *ben wrth gynffon* a defnyddio'r *rheolau Sin a Cosin*.

C5 Mae dau dynfad yn tynnu llong. Dangosir y grymoedd a'r cyfeiriadau yn y diagram. Darganfyddwch y grym cydeffaith tuag ymlaen.

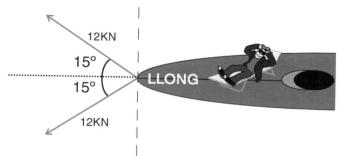

C6 Mae hofrennydd yn gallu hedfan ar fuanedd o 80km/awr mewn awyr lonydd. Mae'n esgyn ac yn anelu tua'r Gogledd Orllewin ond mae'n cael ei chwythu oddi ar ei gwrs gan wynt Gogledd Ddwyreiniol o 30km/awr.
   a) Beth yw buanedd cydeffaith yr hofrennydd?
   b) Os yw'r hofrennydd yma eisiau hedfan i'r Gogledd Orllewin, ar ba gyfeiriant ddylai anelu?

C7 Mae cwch rhwyfo eisiau cyrraedd pwynt ar y lan arall sydd yn union gyferbyn â'i fan cychwyn. Mae'r cwch yn gallu cyrraedd buanedd o 5m/eiliad mewn dŵr llonydd ond mae'r afon yn llifo ar fuanedd o 2.5m/eiliad.
Darganfyddwch yr ongl fydd yn rhaid i'r cwch ffurfio â'r lan os yw am gyrraedd y nod.

C8 Mae dau graen yn codi trawst pont i'w le. Maen nhw'n rhoi grymoedd o 65kN a 75kN ar onglau o 24° a 21° o'r fertigol, yn eu trefn.
Beth yw'r grym cydeffaith tuag i fyny?

C9 Mae afon yn 16m o led. Mae bachgen sy'n gallu nofio 2.4km/awr mewn dŵr llonydd yn cychwyn o A, er mwyn nofio ar draws yr afon sy'n llifo ar fuanedd o 1.8km/awr. Cyfrifwch y canlynol:
   a) ei fuanedd cydeffaith
   b) y cyfeiriad mae'n nofio tuag ato o'i gymharu â'r lan
   c) pa mor bell mae'n glanio i lawr yr afon
   d) faint o amser mae hyn yn ei gymryd iddo.

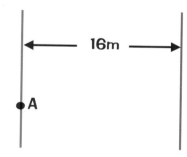

C10 Mae coeden Nadolig yn cael ei chrogi o flaen adeilad wrth ddwy weiren ar onglau o 45° a 35° i'r llorwedd. Os yw'r tensiynau yn y ddwy weiren yn cyfateb i rym o 50 N yn fertigol, darganfyddwch S a T.

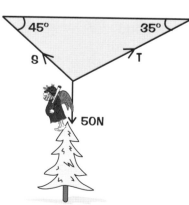

C11 Mae cwch hwylio yn gallu cyrraedd buanedd o 12km/awr mewn dŵr llonydd. Mae cerrynt yn rhedeg yn union i'r Gogledd ar fuanedd o 4km/awr.
Mae'r cwch eisiau hwylio i'r Gogledd Ddwyrain. Cyfrifwch:
   a) i ba gyfeiriant y dylai hwylio er mwyn gwneud hyn
   b) ei fuanedd cydeffaith.

C12 Mae awyren yn hedfan ar gwrs o 290° ar fuanedd o 350km/awr. Mae'r gwynt yn chwythu ac mewn gwirionedd mae'r awyren yn hedfan ar gyfeiriant o 305° ar fuanedd o 400km/awr. Cyfrifwch fuanedd a chyfeiriad y gwynt.

4.1 Cwestiynau ar y Cymedr, y Canolrif, y Modd a'r Amrediad

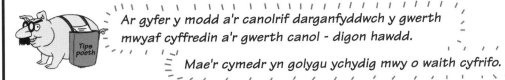

Ar gyfer y modd a'r canolrif darganfyddwch y gwerth mwyaf cyffredin a'r gwerth canol - digon hawdd.

Mae'r cymedr yn golygu ychydig mwy o waith cyfrifo.

C1 Darganfyddwch gymedr, canolrif, modd ac amrediad y rhifau yma:

1	2	–2	0	1	8	3	–3	2	4	–2	2

C2 Mewn pentref ceir 4 cartref heb anifeiliaid anwes, 7 cartref gydag 1 anifail anwes, 5 cartref gyda 2 anifail anwes a 4 cartref gyda 3 anifail anwes. Darganfyddwch beth yw modd, canolrif a chymedr y nifer o anifeiliaid anwes sydd ym mhob cartref.

C3 Pa gyfartaledd fyddai fwyaf addas i gynrychioli'r setiau o werthoedd yn y 2 achos canlynol:
   a) meintiau esgidiau dynion yng Ngheredigion
   b) y rhifau 8, 8.4, 8.9, 9.3, 9.7, 9.9, 10.1, 10.2, 1465?

C4 Mae cwmni bychan yn cyflogi 9 o weithwyr. Dangosir eu cyflogau yn y tabl isod:

£13,000	£9,000	£7,500
£18,000	£12,000	£7,500
£23,000	£15,000	£11,500

   a) Darganfyddwch gymedr, canolrif a modd eu cyflogau.
   b) Pa un o'r rhain nad yw'n mynegi'r cyflog cyfartalog yn dda?

C5

1.2	3	–1.6	4.9	5.2	–2.4	7.4	5.2	–3	2.4

   Defnyddiwch y rhifau uchod i ddarganfod:
   a) y cymedr
   b) y modd
   c) y canolrif
   d) yr amrediad.

C6 Roedd y pwysau cymedrig dyddiol o datws a werthwyd mewn siop lysiau o ddydd Llun tan ddydd Gwener yn 14kg. Roedd y pwysau cymedrig dyddiol o datws a werthwyd o ddydd Llun tan ddydd Sadwrn yn 15kg. Faint o datws a werthwyd ar ddydd Sadwrn?

C7 Roedd pwysau cyfartalog 11 o chwaraewyr tîm pêl-droed yn 72.5kg. Roedd pwysau cyfartalog y 5 chwaraewr wrth gefn yn 75.6kg. Beth oedd pwysau cyfartalog yr holl sgwad? (Rhowch eich ateb yn gywir i 3 ffigur ystyrlon)

4.1 Cwestiynau ar y Cymedr, y Canolrif, y Modd a'r Amrediad

Cofiwch, rhowch y data mewn <u>trefn esgynnol</u> cyn mynd ati i chwilio am y cyfartaleddau.

C8 Mae Mr Puw yn cystadlu yn y gystadleuaeth pwmpen fwyaf yn ffair y pentref bob blwyddyn. Yn ystod y 7 mlynedd ddiwethaf roedd pwysau cyfartalog ei bwmpenni yn 4.2kg. Eleni mae pwysau cyfartalog ei bwmpen (yn awr dros 8 mlynedd) yn 4.4kg. A fydd pwmpen Mr Puw yn pwyso mwy na phwmpen Mr Pari sy'n pwyso 5.5kg?

C9 Sgoriodd chwaraewr dartiau 190 gyda 6 dart. Dyma'r sgorau unigol:

Dart 1 - trebl 19
Dart 2 - trebl 3
Dart 3 - trebl 18
Dart 4 - sengl 20
Dart 5 - sengl 18
Dart 6 - dwbl 16.

Beth yw sgôr cymedrig pob dart?
(I'r rhif cyfan agosaf)

C10 Mae trafeiliwr yn teithio'r pellteroedd canlynol mewn wythnos:

	Llun	Mawrth	Mercher	Iau	Gwener
Pellter a deithiwyd (milltiroedd)	60	72	48	54	86

Cyfrifwch y nifer cymedrig o filltiroedd a deithiwyd bob dydd.

C11 Dros gyfnod o 3 wythnos, cofnododd Molly pa mor gynnar neu ba mor hwyr oedd ei bws ysgol, mewn munudau. (Defnyddiodd + ar gyfer 'hwyr' a − ar gyfer 'cynnar')

+2	−1	0	+5	−4	−7	0
−8	0	+4	−4	−3	+14	+2

a) Cyfrifwch hwyrder/gynharwch cymedrig y bws.
b) Cyfrifwch y canolrif.
c) Beth yw'r modd?
d) Mae'r cwmni bysiau yn defnyddio'r atebion i **a)**, **b)** ac **c)** i honni eu bod bob amser yn brydlon. A yw hyn yn wir?

C12 Sgoriodd y tîm rygbi lleol y nifer canlynol o geisiadau yn ystod 10 gêm gyntaf y tymor:

3	5	4	2	0	1	3	0	3	4

Darganfyddwch beth oedd nifer moddol eu ceisiadau.

4.1 Cwestiynau ar y Cymedr, y Canolrif, y Modd a'r Amrediad

Yn y cwestiynau yma, y cwbl fydd raid i chi ei wneud fydd edrych ar y rhifau a chyfrifo'r cyfartaleddau. Mae llawer o ddeunydd yma na fydd arnoch ei angen, felly anwybyddwch ef.

C13 Cafodd Colin gyfartaledd o 83% mewn 3 arholiad. Roedd ei gyfartaledd ar gyfer y ddau arholiad cyntaf yn 76%. Beth oedd sgôr Colin yn yr arholiad olaf?

C14 Am hanner dydd ar ddiwrnod cyntaf pob mis o'r flwyddyn cofnodwyd y tymereddau yn Sheffield. Dyma'r canlyniadau:

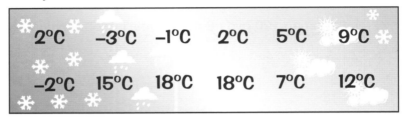

2°C   −3°C   −1°C   2°C   5°C   9°C

−2°C   15°C   18°C   18°C   7°C   12°C

Beth yw cymedr, canolrif, modd ac amrediad y tymereddau yma?

C15 Mae amrediad rhestr arbennig o rifau yn 26. Un o'r rhifau yn y rhestr yw 48.
a) Beth yw gwerth isaf posibl rhif yn y rhestr?
b) Beth yw'r gwerth uchaf posibl allai fod yn y rhestr?

C16 Mae'r graff bar yn dangos yr amser mae Jim a Bob yn ei dreulio yn gwylio'r teledu yn ystod yr wythnos.
a) Darganfyddwch yr amser cymedrig mae'r naill a'r llall yn ei dreulio yn gwylio'r teledu bob dydd.
b) Darganfyddwch beth yw amrediad yr amseroedd ar gyfer y naill a'r llall.
c) Gan ddefnyddio'r gwerthoedd yma, dywedwch ar beth y sylwch.

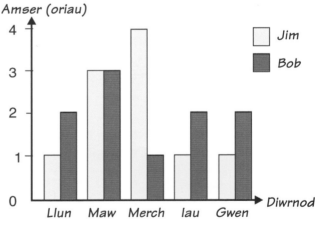

C17 Ym mhob un o'r achosion canlynol, penderfynwch at ba gyfartaledd y cyfeirir:
a) y cyfartaledd hwn yw'r lleiaf addas pan fydd cyfanswm nifer y gwerthoedd yn fychan
b) y cyfartaledd hwn yr effeithir arno leiaf os dewisir un o'r gwerthoedd ar hap
c) y cyfartaledd hwn yr effeithir arno fwyaf gan bresenoldeb gwerthoedd eithaf.

C18 Mae dis cyffredin yn cael ei daflu 6 o weithiau, ac mae'n glanio ar rif gwahanol bob tro.
a) Beth yw'r sgôr cymedrig?
b) Beth yw'r sgôr canolrifol?
c) Beth yw amrediad y sgorau?

ADRAN PEDWAR - YSTADEGAU

4.1 Cwestiynau ar y Cymedr, y Canolrif, y Modd a'r Amrediad

C19 Postiodd Mr Jones 88 o gardiau Nadolig dosbarth cyntaf ar ddydd Llun. Derbyniodd ei gyfeillion y cardiau yn ystod yr wythnos: 40 ar ddydd Mawrth, 28 ar ddydd Mercher, 9 ar ddydd Iau, 6 ar ddydd Gwener a'r gweddill ar ddydd Sadwrn.

  a) Darganfyddwch y nifer moddol o ddyddiau a gymerodd i'r cardiau gyrraedd.

  b) Darganfyddwch y nifer canolrifol o ddyddiau a gymerodd i'r cardiau gyrraedd.

  c) "Mae'r rhan fwyaf o lythyrau dosbarth cyntaf yn cyrraedd o fewn 2 ddiwrnod". A yw'r gosodiad yma'n gywir neu'n anghywir o ystyried y data?

C20 Mae'r pictogram yn dangos faint o gerbydau sy'n croesi pont ar bob dydd yn ystod wythnos.

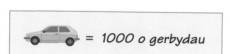 = 1000 o gerbydau

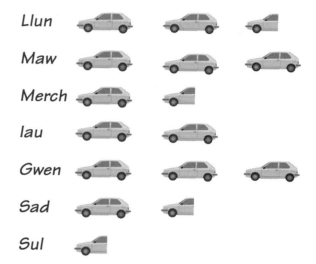

  a) Cyfrifwch nifer cymedrig y cerbydau sy'n croesi'r bont bob dydd.

  b) Beth yw amrediad nifer y cerbydau?

C21 Mae fan cwmni negeswyr yn dilyn llwybr arbennig drwy'r wythnos. Mae'r gyrrwr yn teithio:

> 180km ar ddydd Llun
> 200km ar ddydd Mawrth
> 160km ar ddydd Mercher
> 190km ar ddydd Iau
> 90km ar ddydd Gwener

Cyfrifwch y <u>nifer cymedrig o gilometrau</u> mae'r gyrrwr yn teithio bob dydd.

Os ydych chi wedi dysgu rhywbeth am dymereddau'r gogledd, y gwasanath post neu nifer y traffig, rydych ar y trywydd anghywir.

4.2 Cwestiynau ar Debygolrwydd

C1 Yn ystod eu 20 gêm ddiwethaf cafodd tîm criced Siôn y canlyniadau canlynol:

E	E	C	G	G	E	E	C	E	C
G	C	C	G	E	G	E	E	C	C

a) Cwblhewch y tabl amlder.

b) Gan fod 3 chanlyniad posibl ar gyfer pob gêm mae Siôn yn rhesymu y bydd y tebygolrwydd y bydd y gêm nesaf yn un gyfartal (G) yn $\frac{1}{3}$. Eglurwch pam y mae Siôn yn anghywir.

Canlyniad	Amlder
E	
G	
C	

c) Awgrymwch werth ar gyfer y tebygolrwydd o gêm gyfartal, yn seiliedig ar berfformiad tîm Siôn yn y gorffennol.

C2 a) Beth yw'r tebygolrwydd o dynnu un ai âs du neu frenin du ar hap o becyn o gardiau chwarae cyffredin?

b) Os yw'r siwt cyfan o glybiau yn cael ei dynnu o becyn o gardiau, beth yw'r tebygolrwydd o ddewis 7 coch ar hap?

c) Os yw pob 7 hefyd yn cael eu tynnu o'r pecyn o gardiau, beth yw'r tebygolrwydd o ddewis 4 y diemwntau ar hap?

C3 Wrth chwarae rwlét, mae'r tebygolrwydd y bydd y bêl yn glanio ar bob un o'r rhifau yn cael ei ddangos yn y tabl isod.

Rhif	1	2	3	4	5	6
Tebygolrwydd	$\frac{1}{6}$	$\frac{1}{3}$	$\frac{1}{6}$	$\frac{1}{12}$	$\frac{1}{12}$	$\frac{1}{6}$

a) Darganfyddwch y tebygolrwydd o lanio ar eilrif.
b) Beth yw'r tebygolrwydd o lanio ar ddu?
c) Pam nad yw'r tebygolrwydd o lanio ar wyn neu 3 yn $\frac{5}{12} + \frac{1}{6}$?

Cofiwch gychwyn bob amser gyda diagram canghennog - sicrhewch eich bod wedi dysgu popeth amdanynt, wedyn gallwch ateb unrhyw gwestiwn ar debygolrwydd.

4.2   *Cwestiynau ar Debygolrwydd*

Gall y Rheolau AC/NEU fod braidd yn gymhleth, felly ceisiwch eu cofio cyn yr Arholiad

Tip da

Ar gyfer A/AC, rydych yn LLUOSI (ar hyd y canghennau)
Ar gyfer NEU, rydych yn ADIO (y canlyniadau terfynol)   *Cymysglyd iawn ynte!*

C4   Mae 2 droellwr: un â 3 ochr wedi eu rhifo 1, 2, 3 a'r llall â 7 ochr wedi eu rhifo 1, 2, 3, 4, 5, 6, 7.

a) Os yw'r ddau yn cael eu troelli ar yr un pryd, rhestrwch yr holl ganlyniadau posibl.

b) Cwblhewch y tabl canlynol gan ddangos swm y 2 rif ar gyfer pob canlyniad.

	1	2	3	4	5	6	7
1							
2							
3							

c) Beth yw'r tebygolrwydd y bydd y swm yn 6?
d) Beth yw'r tebygolrwydd y bydd y swm yn eilrif?
e) Beth yw'r tebygolrwydd y bydd y swm yn fwy na neu'n hafal i 8?
f) Beth yw'r tebygolrwydd y bydd y swm yn llai nag 8?
g) Eglurwch sut y gallwch gyfrifo'r tebygolrwydd yn rhan **f)** heb ddefnyddio'r tabl.

C5   Ceir 10 o beli mewn bag. Mae 8 o'r peli yn wyn a 2 yn ddu.
Mae'r peli yn cael eu tynnu o'r bag ar hap, a heb eu rhoi yn ôl, nes y bydd pêl ddu yn cael ei thynnu.
Drwy estyn y diagram canghennog isod, neu fel arall, cyfrifwch y tebygolrwydd y bydd pêl ddu yn cael ei dewis yn ystod un o'r 3 ymgais gyntaf.

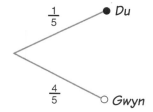

$\frac{1}{5}$ ● Du

$\frac{4}{5}$ ○ Gwyn

4.2   *Cwestiynau ar Debygolrwydd*

C6   Mae wynebau dis diduedd sydd ar ffurf tetrahedron wedi eu rhifo: 1, 2, 3, 4. Er mwyn ennill gêm gyda'r dis yma, mae'n rhaid i chi daflu 4. Bob tro rydych yn cael mwyafrif o 3 chynnig.

     a) Gan ddefnyddio diagram canghennog, cyfrifwch y tebygolrwydd o ennill gydag ail dafliad y cynnig cyntaf.

     b) Beth yw'r tebygolrwydd o ennill ar y cynnig cyntaf?

C7   Mae 3 pêl yn cael eu tynnu ar hap o fag, heb eu rhoi yn ôl. Mae'r bag yn cynnwys 4 pêl werdd a 3 phêl goch.

     a) Cwblhewch y diagram canghennog isod sy'n dangos yr holl ganlyniadau posibl a'u tebygolrwyddau.

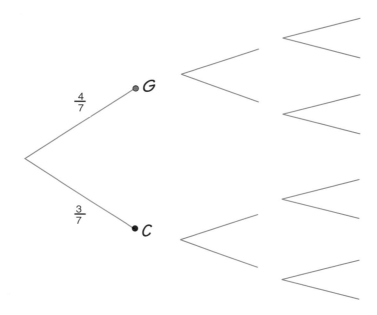

     b) Beth yw'r tebygolrwydd y bydd union 2 bêl werdd yn cael eu tynnu?

     c) Beth yw'r tebygolrwydd y bydd y bêl olaf yr un lliw â'r un gyntaf?

C8   Mae'r pad ysgrifennu isod yn dangos archebion ar gyfer 4 math gwahanol o reis mewn tŷ bwyta Indiaidd. Yn seiliedig ar y data yma, beth yw'r tebygolrwydd :

     a) y bydd yr archeb nesaf yn un am reis pilaw?

     b) y bydd yr archeb nesaf yn un am reis madarch sbeislyd neu reis wedi'i ffrio?

     c) na fydd yr archeb nesaf yn un am reis wedi'i ferwi?

reis wedi'i ferwi	20
reis pilaw	24
reis madarch sbeislyd	10
reis wedi'i ffrio	6

Maent yn haws yn barod...

4.2   *Cwestiynau ar Debygolrwydd*

Peidiwch ag anghofio'r tric 'o leiaf' - os ydych yn chwilio am ddigwyddiad P (o leiaf ...) y cyfan sydd raid i chi ei wneud yw darganfod 1 - P (nid ...). Mae'r ffordd arall yn llawer mwy cymhleth.

C9   Sawl gwaith fydd yn rhaid i chi daflu dis 6-ochr cyffredin fel bo'r tebygolrwydd o gael o leiaf un 6 yn fwy na 0.5?

C10   Mewn ras nofio 200m rhwng 8 o fechgyn, mae'r tebygolrwydd y bydd John yn ennill y ras os y bydd yn nofio yn un o'r ddwy lôn allanol yn $\frac{1}{4}$. Os y bydd yn un o'r lonydd eraill, mae'r tebygolrwydd y bydd John yn ennill yn $\frac{1}{3}$. Os yw'r lonydd yn cael eu dewis ar hap, beth yw'r tebygolrwydd cyffredinol y bydd John yn ennill y ras?

C11   Mae 3 darn arian yn cael eu tynnu ar hap, heb eu rhoi yn ôl, o gadw-mi-gei sy'n cynnwys 7 darn punt a 4 darn ugain ceiniog.

    a) Lluniwch ddiagram canghennog yn dangos yr holl ganlyniadau posibl a'u tebygolrwyddau.
    b) Darganfyddwch y tebygolrwydd y bydd y darn arian cyntaf a ddewisir yn werth gwahanol i'r trydydd darn.
    c) Darganfyddwch y tebygolrwydd y bydd llai na £1.50 yn cael ei ddewis i gyd.

C12   Mae Trefor a'i 2 frawd a 5 o ffrindiau yn eistedd ar hap mewn rhes o seddi yn y sinema. Beth yw'r tebygolrwydd y bydd y naill o frodyr Trefor yn eistedd yn union ar y chwith iddo a'r llall yn union ar y dde iddo?

C13   Mae Fabrizio yn ymarfer ciciau cosb. Mae'r tebygolrwydd y bydd yn methu'r gôl yn gyfan gwbl yn $\frac{1}{8}$. Mae'r tebygolrwydd y bydd y gôl geidwad yn atal y bêl yn $\frac{3}{8}$. Mae'r tebygolrwydd y bydd yn sgorio yn $\frac{1}{2}$. Mae Fabrizio yn cymryd dwy gic gosb.

    a) Cyfrifwch y tebygolrwydd y bydd Fabrizio yn methu sgorio â'i ddwy gic gosb.
    b) Cyfrifwch y tebygolrwydd y bydd yn sgorio un gôl yn unig.
    c) Cyfrifwch y tebygolrwydd na fydd neu y bydd Fabrizio yn sgorio ar ei ddau gynnig.

4.3 Cwestiynau ar Dablau Amlder

C1 Cafodd 130 o wragedd oedd yn gyrru bysiau eu pwyso, i'r kg agosaf.
Cyfrifwch:

a) y pwysau canolrifol
b) y pwysau moddol
c) y pwysau cymedrig, drwy gwblhau'r tabl i ddechrau

Pwysau (kg)	Amlder	Pwysau x Amlder
51	40	
52	30	
53	45	
54	10	
55	5	

Rhaid i chi wybod sut i wneud y rhain yn y ffurf rhes a'r ffurf colofn gan ei bod hi'n bosibl cael unrhyw un yn yr arholiad. Nid oes gwahaniaeth gwirioneddol rhyngddynt, a'r un yw'r rheolau.

C2 Mae cwmni teithio yn cofnodi'r holl alwadau a dderbyniodd eu hadran werthu. Yn y tabl isod rhoddir nifer y galwadau y dydd, yn ystod blwyddyn benodol.

Nifer y Galwadau	10	11	12	13	14	15	16 a throsodd
Nifer y Dyddiau	110	70	120	27	18	12	8

a) Darganfyddwch y nifer canolrifol o alwadau.
b) Darganfyddwch y nifer moddol o alwadau.

C3 Gofynnir i 20 o ddisgyblion amcangyfrif hyd eu gerddi (i'r m agosaf). Rhowch yr amcangyfrifon yn y tabl amlder isod.
10, 8, 6, 4, 10, 8, 0, 14, 12, 8, 10, 6, 1, 6, 10, 8, 6, 6, 8, 8

a) Darganfyddwch beth yw modd y data.
b) Darganfyddwch beth yw canolrif y data.
c) Nodwch beth yw amrediad y data.

Hyd (m)	4 neu lai	6	8	10	12	14 neu fwy
Amlder						

C4 Wrth ddefnyddio til cyfrifiadurol mewn siop esgidiau, gall y rheolwr ragweld pa stoc y dylai ei archebu drwy edrych ar werthiant yr wythnos flaenorol.
Gyferbyn ceir yr allbrint ar ffurf tabl ar gyfer esgidiau dynion yr wythnos ddiwethaf.

Maint esgid	5	6	7	8	9	10	11
Amlder	9	28	56	70	56	28	9

a) Gellir cymharu'r cymedr, y modd a'r canolrif ar gyfer y data yma. Ar gyfer pob un o'r gosodiadau canlynol penderfynwch a ydynt yn gywir neu'n anghywir.

i) Y <u>modd</u> ar gyfer y data yma yw <u>70</u>.
ii) Mae'r <u>cymedr yn fwy na'r canolrif</u> ar gyfer y dosraniad yma.
iii) Mae'r cymedr, y canolrif a'r modd <u>i gyd yn hafal</u> yn y dosraniad yma.

b) O ddata gwerthiant yr wythnos ddiwethaf pa <u>ganran</u> o gwsmeriaid a brynodd esgidiau o'r <u>maint cymedrig</u>?

i) 30%   ii) 70%   iii) 0.273%   neu   iv) 27.3%?

4.3   *Cwestiynau ar Dablau Amlder*

Peidiwch ag <u>anghofio</u> adio'r rhes neu'r golofn ychwanegol.

C5   Mae myfyrwraig yn cael gwersi Mathemateg (M), Saesneg (S), Ffrangeg (F), Arlunio (A) a Gwyddoniaeth (G).
Dyma'i hamserlen:

Llun	G G S S A
Mawrth	S M M A A
Mercher	G M S F F
Iau	F S S A G
Gwener	M M S G G

a) Cwblhewch y tabl amlder canlynol ar gyfer gwersi wythnos:

b) Cyfrifwch sawl gwers Ffrangeg fydd y fyfyrwraig yn ei gael yn ystod tymor o 12 wythnos.

c) Beth yw'r wers foddol?

Pwnc	M	S	F	A	G
Amlder					

C6   Gweir arolwg mewn pentref bychan i ddarganfod sawl ystafell wely sydd yn y tai. Mae'r tabl amlder yn dangos y canlyniadau.

Nifer yr ystafelloedd gwely	1	2	3	4	5
Amlder	3	5	6	2	4

Beth yw cymedr, modd a chanolrif y data?

C7   Mae tornado wedi taro pentref bach Rhyd yr Elain. Torrwyd llawer o ffenestri'r tai. Mae'r tabl amlder yn dangos y difrod.

Nifer y ffenestri a dorrwyd ym mhob tŷ	0	1	2	3	4	5	6
Amlder	5	3	4	11	13	7	2

a) Cyfrifwch y nifer moddol o ffenestri a dorrwyd.

b) Cyfrifwch y nifer canolrifol o ffenestri a dorrwyd.

c) Cyfrifwch y nifer cymedrig o ffenestri a dorrwyd.

4.4 *Cwestiynau ar Amlder Grŵp*

Ceir 3 rhan anodd yma: Ffiniau Dosbarth, Gwerthoedd Canol Cyfwng (h.y. canolbwyntiau dosbarth) a "Sut i Amcangyfrif y Cymedr" - sicrhewch eich bod yn gwybod popeth am y rhain.

C1 Mae'r setiau canlynol o ddata un ai yn ddi-dor neu yn arwahanol. Ym mhob achos nodwch at ba fath o ddata y cyfeirir.

a) Meintiau hetiau.
b) Cyfeintiau bwcedi.
c) Pwysau cawsiau a brynwyd mewn archfarchnad.
d) Hydoedd blew mewn brwsh dannedd.
e) Cyfanswm y sgorau pan fydd 3 dis yn cael eu taflu.
f) Amseroedd a gymerir i redeg 400m.
g) Poblogaethau trefi.

C2 Dyma'r amseroedd a gymerodd Joseff i seiclo i'r ysgol bob dydd:

Amser (munudau)	Amlder
$16 \leq a < 18$	4
$18 \leq a < 20$	8
$20 \leq a < 22$	12
$22 \leq a < 24$	6

a) Ar sawl diwrnod gymerodd Joseff 18 munud neu fwy i seiclo i'r ysgol?
b) Pa mor aml gymerodd Joseff lai na 22 munud?
c) Ar sawl diwrnod y cofnododd Joseff ei amseroedd?

C3 Llwyddodd 20 o chwaraewyr golff i gael y sgorau canlynol yn ystod gêm o golff:
67, 62, 72, 78, 68, 69, 60, 84, 71, 63, 78, 71, 65, 69, 75, 80, 72, 66, 74, 66.

a) Cwblhewch y tabl canlynol:

Sgôr	Marciau Rhifo	Amlder
$59.5 \leq s < 64.5$		
$64.5 \leq s < 69.5$		
$69.5 \leq s < 74.5$		
$74.5 \leq s < 84.5$		

b) Sawl chwaraewr sgoriodd lai na 74.5?
c) Sawl chwaraewr sgoriodd o leiaf 69.5?
d) Eglurwch pam nad yw hi'n bosibl penderfynu sawl chwaraewr sgoriodd lai na 73 drwy ddefnyddio'r tabl yn unig.

4.4   *Cwestiynau ar Amlder Grŵp*

C4   Dyma bwysau 18 o goed sydd newydd eu torri:

272.7	333.2	251.0	200.2	246.5	312.8	256.1	398.0
344.3	226.8	362.0	348.3	232.9	309.7	284.5	327.4
328.0	259.6						

a) Cwblhewch y tabl amlder.

Pwysau (kg)	Marciau rhifo	Amlder	Canol Cyfwng	Amlder x Canol Cyfwng
200 – 249				
250 – 299				
300 – 349				
350 – 399				

b) Amcangyfrifwch y pwysau cymedrig gan ddefnyddio'r tabl amlder.
c) Beth yw'r grŵp moddol?

C5   Mesurwyd a chofnodwyd uchder yr holl goed mewn perllan:

4.2	4.7	3.7	3.1	4.4	3.6
4.6	4.1	3.7	3.05	4.8	4.2
3.6	3.45	4.6	4.2	3.65	3.7
4.05	4.32				

a) Rhowch y data yn y tabl amlder.

Uchder	3 – 3.49	3.5 – 3.99	4 – 4.49	4.5 – 4.99
Amlder				
Canol cyfwng				
Amlder x Canol cyfwng				

b) Beth yw'r grŵp moddol?
c) Amcangyfrifwch y cymedr gan ddefnyddio'r tabl amlder.
d) Cyfrifwch y gwerth cymedrig gan ddefnyddio'r data gwreiddiol.
e) Rhowch sylwadau ar eich atebion i rannau **c)** ac **d)**.

4.4 Cwestiynau ar Amlder Grŵp

C1 Yn ystod y tymor, cofnododd tîm rygbi'r ysgol eu sgorau gan ddefnyddio marciau rhifo ar y tabl.

Sgôr	Marciau Rhifo	Amlder	Canol cyfwng	Amlder x Canol cyfwng
0 – 19	ⴕⴕⴕ I			
20 – 39	III			
40 – 59	ⴕⴕⴕ II			
60 – 79	II			
80 – 99	II			

a) Cwblhewch y tabl amlder.
b) Beth yw'r grŵp moddol?
c) Amcangyfrifwch y sgôr cymedrig.
d) Pa grŵp sy'n cynnwys y sgôr canolrifol?

C2 Ar Fferm Hafod y Gath mae 16 twrci yn barod i'w hanfon i'r farchnad. Dyma bwysau'r twrcïod, yn gywir i'r pwys agosaf:

9	12	15	14	10	13	15	14
17	13	9	14	15	15	13	14

a) Cwblhewch y tabl amlder ar gyfer pwysau'r twrcïod.

Pwysau (pwys)	Marciau Rhifo	Amlder	Canol cyfwng	Amlder x Canol cyfwng
8 – 9				
10 – 11				
12 – 13				
14 – 15				
16 – 17				

b) Sawl twrci sydd yn y grŵp 10-11?
c) Beth yw'r grŵp moddol?
d) Amcangyfrifwch y cymedr gan ddefnyddio'r dechneg canol cyfwng, a chymharwch yr amcangyfrif yma â'r cymedr a gyfrifwyd o'r data.

C3 Yn y tabl isod cofnodwyd buaneddau 32 o sgiwyr ar ran o gwrs sgïo.

Buanedd (km/awr)	40 – 44	45 – 49	50 – 54	55 – 59	60 – 64
Amlder	4	8	10	7	3
Canol cyfwng					
Amlder x Canol cyfwng					

a) Drwy gwblhau'r tabl amlder, amcangyfrifwch y buanedd cymedrig.
b) Sawl sgïwr oedd yn teithio ar fuanedd o lai na 54.5km/awr?
c) Sawl sgïwr oedd yn teithio ar fuanedd o fwy na 49.5km/awr?

4.4   *Cwestiynau ar Amlder Grŵp*

Cofiwch, ni allwch ddarganfod <u>union</u> werth y canolrif ... ond mae'n bosibl dweud i ba grŵp y mae'n perthyn. Fel arall, mae'r dull yn union yr un fath ag o'r blaen.

C4   Cofnodwyd nifer y cwsmeriaid ddaeth i fwyty Indiaidd arbennig bob nos ar 50 achlysur gwahanol:

63	43	61	55	28	60	17	89	83	11	75	49	64	55	57
80	85	41	78	45	58	87	51	70	91	71	29	77	65	80
69	48	72	51	24	58	53	76	52	52	8	64	36	19	96
66	23	44	80	20										

Nifer y cwsmeriaid					
Marciau rhifo					
Amlder					
Canol cyfwng					
Amlder x Canol cyfwng					

a) Dewiswch gyfyngau dosbarth addas, yna crynhowch y data yma mewn tabl amlder.

b) Amcangyfrifwch y nifer cymedrig o gwsmeriaid a chymharwch yr amcangyfrif yma â'r cymedr a gyfrifir o'r data crai.

c) Lluniwch bolygon amlder drwy blotio amlder dosbarth yn erbyn gwerth canol cyfwng.

C5   Cofnodwyd 48 o rifau isod:

0.057	0.805	0.056	0.979	0.419	0.160	0.534	0.763
0.642	0.569	0.773	0.055	0.349	0.892	0.664	0.136
0.528	0.792	0.085	0.546	0.549	0.908	0.639	0.000
0.614	0.478	0.421	0.472	0.292	0.579	0.542	0.356
0.070	0.890	0.883	0.333	0.033	0.323	0.544	0.668
0.094	0.049	0.049	0.999	0.632	0.700	0.983	0.356

a) Trosglwyddwch y data i'r tabl amlder.

Rhif (n)	$0 \leqslant n < 0.2$	$0.2 \leqslant n < 0.4$	$0.4 \leqslant n < 0.6$	$0.6 \leqslant n < 0.8$	$0.8 \leqslant n < 1$
Marciau rhifo					
Amlder					
Canol cyfwng					
Amlder x Canol cyfwng					

b) Pa un yw'r dosbarth moddol?

c) Pa grŵp sy'n cynnwys y canolrif?

d) Amcangyfrifwch y gwerth cymedrig.

4.5 Cwestiynau ar Amlder Cronnus

Mae'n bosibl darganfod tri pheth o gromliniau amlder cronnus ...

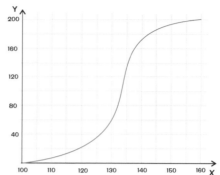

C1 Gan ddefnyddio'r gromlin amlder cronnus, darganfyddwch y canlynol:
a) y canolrif
b) y chwartel isaf
c) y chwartel uchaf
d) yr amrediad rhyngchwartel

C2 Yn y tabl amlder dangosir oedran yr holl bobl sy'n byw mewn pentref bychan.

Oedran x	$0 \leqslant x < 20$	$20 \leqslant x < 40$	$40 \leqslant x < 60$	$60 \leqslant x < 80$	$80 \leqslant x < 100$
Amlder	9	37	44	16	4
Amlder Cronnus					

a) Cwblhewch y tabl amlder cronnus.
b) Plotiwch gromlin amlder cronnus.
c) O'ch graff darganfyddwch y gwerth canolrifol.
d) Beth yw'r amrediad rhyngchwartel?

C3 Mae nifer y teithwyr sy'n defnyddio gwasanaeth bws bob dydd wedi cael ei gofnodi dros gyfnod o 4 wythnos. Mae'r data yn cael ei gyflwyno yn y tabl isod:

Nifer y teithwyr	0 – 49	50 – 99	100 – 149	150 – 199	200 – 249	250 – 299
Amlder	2	7	10	5	3	1
Amlder Cronnus						
Canol cyfwng						
Amlder x Canol cyfwng						

a) Drwy gwblhau'r tabl, amcangyfrifwch y nifer cymedrig o deithwyr.
b) Drwy blotio cromlin amlder cronnus penderfynwch beth yw'r gwerth canolrifol.
c) Beth yw'r grŵp moddol?

C4 Mae 40 o ddisgyblion wedi sefyll arholiad ac mae'r marciau wedi eu cofnodi mewn tabl amlder.

Marc (%)	$0 \leqslant m < 20$	$20 \leqslant m < 40$	$40 \leqslant m < 60$	$60 \leqslant m < 80$	$80 \leqslant m < 100$
Amlder	2	12	18	5	3
Amlder Cronnus					

a) Cwblhewch y tabl a phlotiwch y gromlin amlder cronnus.
b) Beth yw gwerth y chwartel isaf?
c) Beth yw'r amrediad rhyngchwartel?
d) Beth yw'r marc canolrifol?

4.5 Cwestiynau ar Amlder Cronnus

Mae rhai cwestiynau yn gofyn i chi lunio cynllun bocs. Cofiwch ei fod yn haws ei osod yn <u>union o dan y gromlin amlder cronnus</u>. Yna gallwch ymestyn y llinellau ar gyfer y canolrif a'r chwartelau, yn hytrach na'u mesur.

C5 Gwnaeth grŵp o rieni arolwg o brisiau esgidiau ymarfer, ac yna rhoddwyd y canlyniadau mewn tabl.

a) Llenwch weddill y tabl.
b) Faint o esgidiau ymarfer archwiliodd y rhieni?
c) Plotiwch y gromlin amlder cronnus.
d) Pa un yw'r drutaf, y pris cymedrig ynteu'r pris canolrifol?

Prisiau Esgidiau Ymarfer (£)	0 – 29	30 – 59	60 – 89	90 – 119	120 – 149	150 – 179
Amlder	4	18	24	20	11	3
Amlder Cronnus						
Canol cyfwng						
Amlder x Canol cyfwng						

C6 Cofnododd Bili frasamcan o led adenydd (cm) adar a welodd yn ei ardd yn ystod un penwythnos:

33	23	31	33	37	42	27	42	36	34
30	25	43	39	38	49	33	38	47	36
21	31	28	34	31	36	30	39	32	33

a) Crynhowch y data ar ffurf tabl amlder.

Lled Adenydd (cm)	20 – 24	25 – 29	30 – 34	35 – 39	40 – 44	45 – 49
Amlder						
Amlder Cronnus						
Canol cyfwng						
Amlder x Canol cyfwng						

b) Lluniwch y gromlin amlder cronnus.
c) Beth yw gwerth y chwartel isaf?
d) Beth yw gwerth y chwartel uchaf?
e) Lluniwch gynllun bocs o dan y gromlin amlder cronnus.
f) Amcangyfrifwch beth yw'r cymedr drwy ddefnyddio'r data tabledig, a chymharwch hyn â'r lled adenydd canolrifol.

C7 Cyflwynir 100 sgôr gorau gêm fwrdd yn y tabl isod.

Sgôr	31 – 40	41 – 50	51 – 60	61 – 70	71 – 80	81 – 90	91 – 100
Amlder	4	12	21	32	19	8	4
Amlder Cronnus							

a) Beth yw'r grŵp moddol?
b) Pa grŵp sy'n cynnwys y sgôr canolrifol?
c) Drwy blotio'r gromlin amlder cronnus penderfynwch beth yw gwir werth y sgôr canolrifol.
d) Darganfyddwch yr amrediad rhyngchwartel.
e) Lluniwch y cynllun bocs.

4.5   *Cwestiynau ar Amlder Cronnus*

C1   Mae'r tabl amlder yn cynnwys uchder 86 darn o does sydd wedi eu gadael i godi am 20 munud.

Uchder (mm)	8 – 9	10 – 11	12 – 13	14 – 15	16 – 17	18 – 19	20 – 21	22 – 23
Amlder	2	9	21	26	17	8	2	1
Amlder Cronnus								
Canol cyfwng								
Amlder x Canol cyfwng								

a) Drwy gwblhau'r tabl, amcangyfrifwch yr uchder cymedrig.
b) Drwy lunio'r gromlin amlder cronnus penderfynwch beth yw'r uchder canolrifol.
c) Darganfyddwch yr amrediad rhyngchwartel.

C2   Mae'r tabl amlder canlynol yn rhoi dosraniad oes waith bylbiau trydan.

a) Cwblhewch y tabl amlder.

Oes waith (oriau)	Amlder	Amlder Cronnus	Canol cyfwng
900 – 999	10		
1000 – 1099	12		
1100 – 1199	15		
1200 – 1299	18		
1300 – 1399	22		
1400 – 1499	17		
1500 – 1599	14		
1600 – 1699	9		

b) Pa grŵp sy'n cynnwys y gwerth canolrifol?
c) Drwy lunio'r gromlin amlder cronnus, darganfyddwch wir werth y canolrif.
d) Darganfyddwch werthoedd ar gyfer y chwartelau uchaf ac isaf.

> *Rhaid dweud fod y rhain braidd yn hirwyntog, ond mae'n ffordd hawdd o ennill marciau, felly cymerwch bwyll a sicrhewch eich bod yn cael pob un.*

C3   Cofnodwyd poblogaeth 50 o bentrefi yn y tabl isod:

Poblogaeth	1 – 500	501 – 1000	1001 – 1500	1501 – 2000	2001 – 2500	2501 – 3000
Amlder	4	10	18	12	4	2
Amlder Cronnus						
Canol cyfwng						

a) Pa un yw'r dosbarth moddol?
b) Pa grŵp sy'n cynnwys y gwerth canolrifol?
c) Cwblhewch y tabl a lluniwch y gromlin amlder cronnus.
d) Penderfynwch beth yw'r canolrif a'r amrediad rhyngchwartel.

4.5 Cwestiynau ar Amlder Cronnus

C4 Dyma brisiau (£) y ceir sydd ar y cwrt o flaen Moduron a Bargeinion Bari:

299	499	162	296	269	352	127	249	234	193
209	396	257	35	201	301	179	212	134	211

a) Cwblhewch y tabl amlder.

Pris (£)	0 – 100	101 – 200	201 – 300	301 – 400	401 – 500
Amlder					
Amlder Cronnus					
Canol cyfwng					

b) Sawl car sydd ar y cwrt?

c) Beth yw cyfanswm gwerth y ceir?

d) Drwy lunio cromlin amlder cronnus penderfynwch beth yw'r canolrif a'r chwartelau isaf ac uchaf.

e) Lluniwch gynllun bocs o dan y gromlin amlder cronnus.

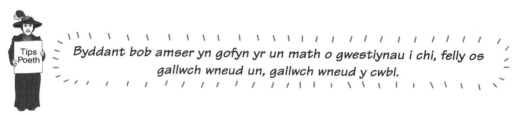

Tips Poeth

Byddant bob amser yn gofyn yr un math o gwestiynau i chi, felly os gallwch wneud un, gallwch wneud y cwbl.

C5 Cofnododd 30 o ddisgyblion yr amser a gymerwyd (munudau : eiliadau) i ferwi dŵr.

2:37	2:37	3:17	3:30	2:45	2:13	3:18	3:12	3:38	3:29
3:04	3:24	4:13	3:01	3:11	2:33	3:37	4:24	3:59	3:11
3:22	3:13	2:57	3:12	3:07	4:17	3:31	3:42	3:51	3:24

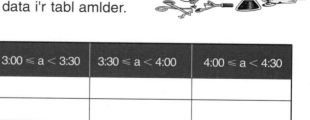

a) Drwy ddefnyddio marciau rhifo, trosglwyddwch y data i'r tabl amlder.

Amser	$2:00 \leqslant a < 2:30$	$2:30 \leqslant a < 3:00$	$3:00 \leqslant a < 3:30$	$3:30 \leqslant a < 4:00$	$4:00 \leqslant a < 4:30$
Marciau Rhifo					
Amlder					
Amlder Cronnus					
Canol cyfwng					

b) Lluniwch y gromlin amlder cronnus.

c) Gan ddefnyddio eich graff, darganfyddwch y canolrif a'r chwartelau uchaf ac isaf.

d) Beth yw'r amrediad rhyngchwartel?

e) Lluniwch gynllun bocs o dan y gromlin amlder cronnus.

4.6 Cwestiynau ar Graffiau Gwasgariad a Histogramau

GRAFF GWASGARIAD yw llawer o bwyntiau ar graff sy'n edrych fel blerwch yn hytrach na llinell neu gromlin daclus. Ceir gair arbennig sy'n disgrifio faint o flerwch mae'r pwyntiau yn ei arddangos, sef CYDBERTHYNIAD.

C1 Rhowch y label disgrifiadol mwyaf addas ar gyfer y diagramau canlynol.

Labeli: (P) Cydberthyniad positif cryf   (S) Cydberthyniad negatif cymedrol
        (Q) Cydberthyniad negatif union gywir   (T) Cydberthyniad canolig
        (R) Ychydig neu ddim cydberthyniad   (U) Cydberthyniad positif union gywir

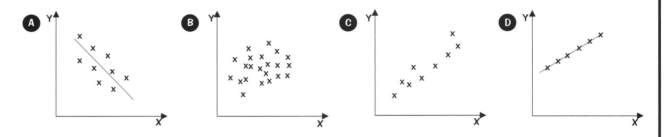

Er mwyn llunio graff gwasgariad, plotiwch y pwyntiau a roddir i chi ar graff.

C2 Eisteddodd 10 o bobl 2 arholiad Weldio i Ddechreuwyr. Mae'r tabl yn dangos y marciau a gafwyd.

Ymgeisydd	1	2	3	4	5	6	7	8	9	10
Arholiad 1 (%)	85	30	55	10	40	20	0	95	65	40
Arholiad 2 (%)	70	25	50	15	70	25	5	80	60	35

a) Lluniwch graff gwasgariad sydd yn cynrychioli'r wybodaeth yma.
b) Tynnwch y llinell ffit orau.
c) Dim ond yr arholiad cyntaf wnaeth Cled, a chafodd farc o 50%. Defnyddiwch eich graff gwasgariad i amcangyfrif y marc y byddai wedi ei gael petasai wedi sefyll yr ail arholiad.

C3 Cofnododd siop nwyddau trydanol nifer y chwaraewyr cryno ddisgiau a werthwyd am bob pris.

Pris (£)	£80	£150	£230	£310	£380	£460
Nifer a werthwyd	27	24	22	19	17	15

a) Lluniwch yr wybodaeth yma fel graff gwasgariad, gan ddefnyddio echelinau addas.
b) Tynnwch y llinell ffit orau a defnyddiwch hi i amcangyfrif:
   i) faint o chwaraewyr cryno ddisgiau allai perchennog y siop ddisgwyl eu gwerthu am £280
   ii) y pris y dylid ei godi am chwaraewr cryno ddisgiau fyddai 20 o bobl yn ei brynu.
c) A yw'r cydberthyniad yn bositif ynteu'n negatif?

4.6 Cwestiynau ar Graffiau Gwasgariad a Histogramau

C4 Mae 8 o ffrindiau yn cymharu taldra a maint esgid er mwyn gweld a oes cydberthyniad.
Rhoddwyd y data yn y tabl isod:

Taldra	4'6"	4'8"	5'2"	5'5"	5'8"	5'10"	6'	6'6"
Maint Esgid	4	5	4.5	5	6	8	9	12

a) Plotiwch y pwyntiau ar graff gwasgariad.
b) A yw'r cydberthyniad rhwng y pwyntiau yn bositif ynteu'n negatif?
c) Drwy ffitio llinell addas, amcangyfrifwch faint esgid ffrind arall sy'n 6'2".

C5 Rhoddir cyfartaleddau bowlio a batio ar gyfer aelodau tîm criced pentref arbennig yn y tabl.

a) Lluniwch ddiagram
gwasgariad ar gyfer y data
uchod.

Batio	8	13	17	26	29	35	37	40	45	52	57
Bowlio	32	13	22	31	14	22	6	10	50	39	12

b) Nodwch y math o
gydberthyniad a geir, os oes un o gwbl.

C6 Mae Heledd yn sicr fod y llyfr coginio drutaf yn cynnwys mwy o dudalennau.
Er mwyn profi ei theori, mae hi wedi llunio'r tabl yma:

Pris	£4.25	£5.00	£4.75	£6.25	£7.50	£8.25	£4.75	£5.00	£6.75	£3.25	£3.75
Nifer y tudalennau	172	202	118	184	278	328	158	138	268	84	98

a) Lluniwch graff gwasgariad i gynrychioli'r wybodaeth yma.
b) Tynnwch y llinell ffit orau.
c) Defnyddiwch eich llinell i amcangyfrif pris llyfr sy'n cynnwys 250 o dudalennau.

*Y maint sy'n cyfrif ... Mae'n rhaid i chi
edrych ar arwynebedd y barrau, sy'n golygu
edrych ar y lled yn ogystal â'r uchder.*

C7 Mae'r histogram isod yn cynrychioli dosraniad oedran pobl sy'n gwylio deifio tanddaearol.
O wybod bod 24 o bobl yn yr amrediad oedran 40 - 55, darganfyddwch faint o bobl sydd
yn yr holl amrediadau oedran eraill.

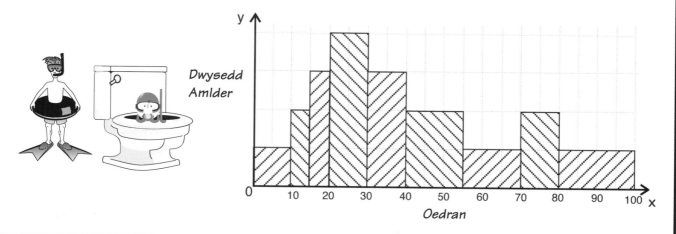

4.6 Cwestiynau ar Graffiau Gwasgariad a Histogramau

Y peth pwysicaf i'w gofio wrth dynnu eich llinell ffit orau yw sicrhau fod gennych yr un faint o bwyntiau o boptu'r llinell. Peidiwch â phoeni os nad oes cymaint â hynny o bwyntiau yn union ar y llinell.

C8 Dangosir canlyniadau arholiad (%) grŵp o fyfyrwyr mewn 2 arholiad yn y tabl.

Ffiseg	97	61	36	56	48	84	83	79	26	66
Cemeg	98	65	49	66	60	88	87	85	43	78

a) Defnyddiwch graff gwasgariad i gynrychioli'r data.
b) Nodwch pa fath o gydberthyniad sydd, os oes un o gwbl.

C9 Mae uchder yr holl adeiladau ar ystad ddiwydiannol yn cael eu cofnodi mewn tabl:

Uchder (m)	0 - 3	4 - 6	7 - 10	11 - 15	16 - 25
Amlder	7	6	12	15	20
Dwysedd amlder					

a) Llenwch y rhes dwysedd amlder.
b) Lluniwch histogram gan ddefnyddio'r data yma.
c) Gan ddefnyddio eich histogram, amcangyfrifwch nifer yr adeiladau sy'n is na 5m o uchder.

C10 Mae pwysau mêl sy'n cael ei gasglu o nifer o gychod gwenyn wedi ei gofnodi yn y tabl isod:
a) Cwblhewch y tabl amlder drwy gyfrifo'r dwyseddau amlder.
b) Lluniwch histogram i gynrychioli'r data yma.
c) Defnyddiwch eich histogram i amcangyfrif nifer y cychod gwenyn sy'n cynhyrchu mwy na 6kg o fêl.

Pwysau (kg)	0 – 2	3 – 4	5 – 7	8 – 9	10 – 15
Amlder	3	2	6	9	12
Dwysedd amlder					

C11 Dyma brisiau rygiau Persiaidd sydd ar gael mewn catalog:

Pris (£)	$0 \leqslant P < 50$	$50 \leqslant P < 100$	$100 \leqslant P < 150$	$150 \leqslant P < 200$	$200 \leqslant P < 250$	$250 \leqslant P < 300$	$300 \leqslant P < 350$	$350 \leqslant P < 400$
Amlder	10	25	45	57	63	12	10	10
Dwysedd amlder								

a) Nodwch y dosbarth moddol.
b) Drwy gwblhau'r tabl yn gyntaf, lluniwch histogram i gynrychioli'r data.
c) Amcangyfrifwch faint o rygiau sy'n costio llai na £125.

4.6   *Cwestiynau ar Graffiau Gwasgariad a Histogramau*

Defnyddiwch flociau arwynebedd bob amser i ddarganfod faint mae pob bar yn ei gynrychioli. Ewch i Tud. 54 yn y Canllaw Adolygu er mwyn cael ychydig o reolau hawdd i'w dysgu.

C12   Mae oes waith 96 o boptai micro-don wedi eu cofnodi yn y tabl:

Oes waith (blynyddoedd)	$0 \leqslant b < 2$	$2 \leqslant b < 4$	$4 \leqslant b < 6$	$6 \leqslant b < 8$	$8 \leqslant b < 10$	$10 \leqslant b < 12$
Amlder	15	22	36	9	10	4
Dwysedd Amlder						
Canol cyfwng						
Amlder x Canol cyfwng						

a) Cwblhewch y tabl amlder.

b) Amcangyfrifwch yr oes waith gymedrig.

c) Pa grŵp sy'n cynnwys y gwerth canolrifol?

d) Sawl oes waith sydd y tu allan i'r grŵp moddol?

e) Lluniwch histogram a'i ddefnyddio i benderfynu oes waith sawl micro-don sy'n llai na 5 mlynedd.

C13   Ar ddiwrnod arbennig, mae'r amser mae pobl yn ei dreulio ar draeth yn cael ei gofnodi:

Amser (munudau)	0 – 5	6 – 10	11 – 20	21 – 40	41 – 80	81 – 100
Amlder	11	24	48	48	24	11
Dwysedd amlder						

a) Llenwch res olaf y tabl.

b) Lluniwch histogram i gynrychioli'r data yma.

c) Faint o bobl dreuliodd fwy na 8 munud ar y traeth?

C14   Gwnaeth grŵp o fyfyrwyr chweched dosbarth arolwg i weld faint o amser oeddynt yn ei dreulio yn gwylio teledu bob wythnos.

a) Cwblhewch y tabl drwy lenwi'r golofn dwysedd amlder.

b) Sawl myfyriwr gymerodd ran yn yr arolwg?

c) Cynrychiolwch y data ar ffurf histogram.

d) Amcangyfrifwch faint o fyfyrwyr sy'n gwylio mwy na 7, ond llai na 13 o oriau o deledu bob wythnos.

Nifer yr oriau	Amlder	Dwysedd amlder
0 – 1	6	
2 – 3	13	
4 – 5	15	
6 – 8	9	
9 – 10	23	
11 – 15	25	
16 – 20	12	

4.7 Cwestiynau ar Histogramau a Gwasgariad

Dylech ddysgu'r siapiau - maen nhw'n sicr o ofyn i chi beth yw ystyr graffiau â siapiau gwahanol, felly ewch ati i'w dysgu.

C1   Dywedwch pa histogram sy'n cyd-fynd â pha gromlin amlder cronnus.

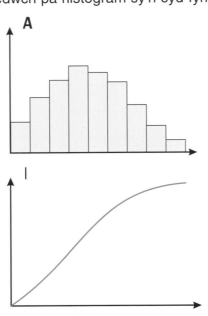
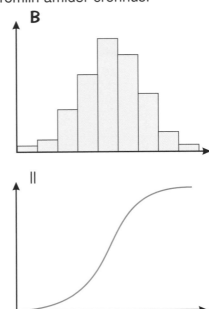

C2   Lluniwch ddau histogram cyferbyniol yn dangos pwysau sampl o blant wyth oed a phwysau sampl o blant 16 oed.

C3   Darganfyddwch gymedr y data canlynol: 6, 2, −4, 5, −1, 7, −10, 11.

C4   Darganfyddwch gymedr y setiau canlynol o ddata.
a) −2, −4, 4, 6, −10, 10
b) 21, 23, 19, 22, 21, 23, 20, 22
c) 579, 791, 3989, 184, 369
d) 87, 42, 53, 35, 61, 36
e) −56, −23, −93, −70, −22, −30
f) 2^1, 2^2, 2^3, 2^4, 2^5

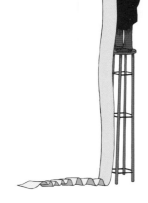

C5   Dyma'r petrol sy'n cael ei werthu'n ddyddiol (mewn galwyni) yn ystod cyfnod o 2 wythnos mewn gorsaf betrol sy'n agored saith niwrnod yr wythnos:

	Llun	Maw	Merch	Iau	Gwen	Sad	Sul
Wythnos 1	650	310	540	570	630	660	300
Wythnos 2	550	310	490	560	540	680	340

Pa un yw'r mwyaf, y gwerth cymedrig ar gyfer wythnos 1 ynteu ar gyfer wythnos 2?

4.7 Cwestiynau ar Histogramau a Gwasgariad

C6   Mae ffermwr yn cofnodi faint o laeth a gynhyrchir gan ei wartheg bob dydd.

Llaeth (Litrau)	Amlder	Dwysedd Amlder	Canol Cyfwng	Amlder x Canol Cyfwng
$0 \leq B < 1$	6			
$1 \leq B < 5$	6			
$5 \leq B < 8$	6			
$8 \leq B < 10$	6			
$10 \leq B < 15$	6			
$15 \leq B < 20$	6			

a) Cwblhewch y tabl amlder.

b) Defnyddiwch y dechneg canol cyfwng i amcangyfrif y cymedr.

c) Lluniwch histogram i ddangos y data.

d) Ar sawl diwrnod mae llai nag 8 litr yn cael ei gynhyrchu?

C7   Darganfyddwch gymedr y setiau canlynol o ddata:

a) 20, 18, 16, 14, 12, 16, 0, 4, 6, 8

b) 8, 6, 6, 3, 2, 1, 5, 1, 2, 2, 4, 3, 3, 4, 3

c) 10, 9, 8, 8, 8, 8, 7, 7, 4, 3.

C8   Gwnaeth cylchgrawn arolwg i weld faint o arian poced oedd ei ddarllenwyr yn ei dderbyn bob wythnos.

Swm (£)	Amlder	Dwysedd Amlder	Canol Cyfwng	Amlder x Canol Cyfwng
0 — 0.50	11			
0.60 — 0.90	25			
1.00 — 1.20	9			
1.30 — 1.40	12			
1.50 — 1.70	24			
1.80 — 2.40	21			
2.50 — 3.00	54			
3.10 — 4.00	32			

a) Drwy gwblhau'r tabl yn gyntaf, amcangyfrifwch y swm cymedrig o arian poced.

b) Beth yw'r dosbarth moddol?

c) Lluniwch histogram i gynrychioli'r data.

d) Faint o ddarllenwyr oedd yn cael mwy na £1.35 yr wythnos?

4.8 Cwestiynau ar Ddiagramau Coesyn-Deilen

Mae diagram coesyn-deilen yn debyg i histogram, ond nid oes ganddo echelinau. Data crai yw'r wybodaeth. Darllenwch y rhifau.

C1 Rhestrwch y gwerthoedd a ddangosir yn y diagram mewn trefn esgynnol.

Dyma'r pum gwerth cyntaf: 3, 3, 3, 5, 8

0	3 3 3 5 8 8 9
1	2 3 4 4 8 8 9
2	0 2 2 4
3	1 3

Allwedd: 1|4 ydy 14

C2 Mae'r diagram coesyn-deilen yma yn dangos marciau prawf grŵp o 25 myfyriwr.

0	
5	0 1
10	0 1 4
15	0 2 2 3 3 4
20	1 1 1 2 4 4
25	1 2 3 4
30	1 4 4
35	4

Defnyddiwch yr wybodaeth yn y diagram i ateb y cwestiynau:
a) Sawl myfyriwr sgoriodd 18?
b) Sawl myfyriwr sgoriodd 10-15 yn gynhwysol?
c) Sawl myfyriwr sgoriodd 28 neu fwy?
d) Beth yw'r sgôr uchaf?
e) Beth yw'r sgôr moddol?
f) Beth yw'r sgôr cymedrig?
g) Beth yw'r sgôr canolrifol?

Allwedd: 15 | 3 ydy 18

Os oes gennych led dosbarthiadau o 5, yna ADIWCH y rhifau at EI GILYDD.

C3 Gwnaeth Anwen arolwg i ddarganfod sawl perthynas byw oedd gan ei ffrindiau. Dyma'i chanlyniadau:

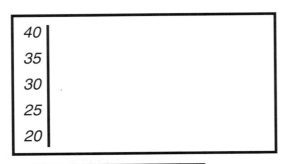

37	23	48	21	33	39
8	31	11	41	50	7
22	18	15	26	29	13

Lluniwch ddiagram coesyn-deilen i gynrychioli'r data. Defnyddiwch yr allwedd yma:

Allwedd: 1|4 ydy 14

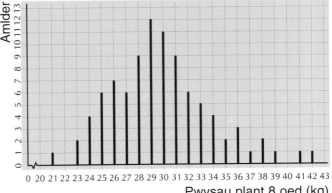

C4 Defnyddiwch yr wybodaeth o'r graff llinell yma i greu diagram coesyn-deilen eich hun, gan ddefnyddio dosbarthiadau o led 5. Yna gwnewch allwedd i ddangos sut i ddefnyddio'r diagram.

40	
35	
30	
25	
20	

Allwedd: | ydy

Amlder

Pwysau plant 8 oed (kg)

4.9   *Cwestiynau ar Gyfresi Amser*

*Mae'r Cyfresi Amser yn bwysig a gallant ymddangos ar bapur arholiad.
Ymarferwch â nhw!*

C1   Pa rai o'r setiau o fesuriadau canlynol sy'n ffurfio cyfresi amser?
- **a)** Cyfartaledd glawiad Cumbria, a fesurwyd bob dydd am flwyddyn.
- **b)** Glawiad dyddiol prifddinasoedd Ewrop ar Ddydd Nadolig, 2000.
- **c)** Maint esgid pawb yn Nosbarth 6C ar 1af Medi, 2001.
- **d)** Maint fy esgid i (a fesurwyd bob mis) o ddeuddeg mis hyd at 14 oed.

C2   **a)** Pa ddau o'r cyfresi amser canlynol sy'n dymhorol, a pha ddau nad ydynt yn dymhorol?

A
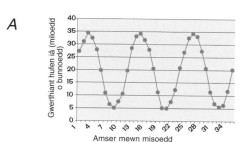

B
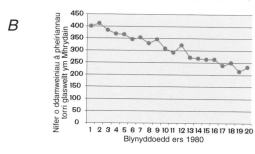

C
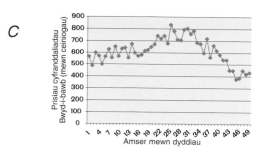

D
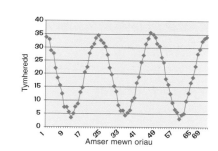

- **b)** Pa adegau o'r cyfresi amser sy'n dymhorol?
- **c)** Disgrifiwch y tueddiadau yn y cyfresi amser nad ydynt yn dymhorol.

C3   Mae'r tabl isod yn dangos gwerth gwerthiant sanau cwmni gwau rhwng 1998 a 2000.
Mae'r ffigurau gwerthiant mewn miloedd o bunnoedd.

Amser	Gwerthiant
Gwanwyn 1998	404
Haf 1998	401
Hydref 1998	411
Gaeaf 1998	420
Gwanwyn 1999	416
Haf 1999	409
Hydref 1999	419
Gaeaf 1999	424
Gwanwyn 2000	416
Haf 2000	413
Hydref 2000	427
Gaeaf 2000	440

- **a)** Plotiwch y ffigurau ar graff gydag amser ar yr echelin lorweddol a gwerthiant ar yr echelin fertigol.
- **b)** Cyfrifwch gyfartaledd symudol 4-pwynt i gael cyfres lefn. Ysgrifennwch eich atebion yn y bocsys gwag.
- **c)** Plotiwch y cyfartaledd symudol ar yr un echelin â'ch graff gwreiddiol.
- **d)** Disgrifiwch dueddiadau'r ffigurau gwerthiant.

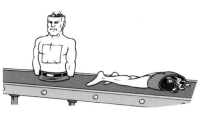

4.10 Cwestiynau ar Amlder (Cymysg)

*Dim ond mwy o ymarfer ar yr hyn rydych chi wedi bod yn ei wneud
yn y tudalennau diwethaf sydd yma.*

C1 Dyma bwysau 100 o gŵn, i'r kg agosaf.
Darganfyddwch y canlynol:
a) y pwysau canolrifol
b) y modd
c) y cymedr, drwy gwblhau'r tabl.

Pwysau (kg)	Amlder	Pwysau x Amlder
15	35	
16	20	
17	25	
18	20	

C2 Mae hyd gwallt merched, mewn ysgol arbennig, wedi eu cofnodi yn y tabl isod:

Hyd (cm)	0 — 5	6 — 10	11 — 15	16 — 25	26 — 50
Amlder	22	27	31	54	35
Dwysedd amlder					

a) Pa un yw'r dosbarth moddol?
b) Faint o'r merched sydd y tu allan i'r dosbarth moddol?
c) Lluniwch histogram yn dangos y data yma.
d) Amcangyfrifwch faint o ferched sydd â gwallt byrrach na 8cm.

C3 Mae dwy siop bapur newydd gystadleuol wedi cofnodi faint o bapurau newydd
lleol maen nhw'n eu gwerthu bob dydd am wythnos:

	Llun	Maw	Merch	Iau	Gwen	Sad	Sul
Siop Bapur Newydd 1	10	15	50	30	18	40	29
Siop Bapur Newydd 2	5	25	35	17	28	30	16

Drwy gyfrifo nifer cymedrig y papurau newydd a werthir gan bob siop, penderfynwch,
ar gyfartaledd, pa siop sy'n gwerthu fwyaf bob dydd.

4.10 Cwestiynau ar Amlder (Cymysg)

C4 Trefnodd ysgol daith gerdded noddedig i godi arian. Er mwyn cofnodi pellter pob un o'r cerddwyr, lluniodd y prifathro dabl amlder.

Pellter (milltiroedd)	$0 \leqslant p < 3$	$3 \leqslant p < 6$	$6 \leqslant p < 9$	$9 \leqslant p < 12$	$12 \leqslant p < 15$
Amlder	3	6	10	27	54
Canol cyfwng					
Amlder x Canol cyfwng					

a) Amcangyfrifwch y pellter cymedrig, trwy gwblhau'r tabl amlder.

b) Beth yw'r gwerth mwyaf posibl ar gyfer amrediad y pellteroedd?

C5 Ar ddiwrnod arbennig mesurwyd a chofnodwyd y glawiad mewn amryw o fannau ym Mhrydain.

Glawiad (mm)	0 – 2	3 – 5	6 – 8	9 – 11	12 – 14	15 – 17	18 – 20	21 – 23
Amlder	2	7	18	40	22	11	9	1
Amlder Cronnus								
Canol cyfwng								
Amlder x Canol cyfwng								

a) Cwblhewch y tabl a'i ddefnyddio i blotio'r gromlin amlder cronnus.

b) Gan ddefnyddio'r tabl amcangyfrifwch y gwerth cymedrig, a chymharwch hwn â'r gwerth canolrifol a gafwyd o'r gromlin.

c) Beth yw amrediad rhyngchwartel y glawiad?

C6 Fel rhan o gynllun rheoli traffig, cofnodwyd buaneddau ceir ar ddarn arbennig o ffordd.

Buanedd (mya)	Amlder	Canol cyfwng	Amlder x Canol cyfwng
$29.5 \leqslant b < 34.5$	11		
$34.5 \leqslant b < 39.5$	21		
$39.5 \leqslant b < 44.5$	52		
$44.5 \leqslant b < 49.5$	43		
$49.5 \leqslant b < 54.5$	31		

a) Cwblhewch y tabl amlder a defnyddiwch hyn i amcangyfrif y buanedd cymedrig.

b) Beth yw'r grŵp buanedd moddol?

c) Pa grŵp sy'n cynnwys y buanedd canolrifol?

4.11 Cwestiynau ar Ddulliau Samplu

C1 Rhowch y diffiniad ar gyfer y canlynol:
a) Hapsamplu
b) Samplu systematig
c) Samplu haenedig
d) Samplu cwota

Rhaid i chi wybod beth yw'r 4 prif fath o samplu - ceisiwch wneud cwestiwn 1, ac os na allwch gael yr ateb cywir, daliwch ati nes y byddwch yn llwyddo.

Mae gofyn i chi hefyd weld problemau a bod yn feirniadol o dechnegau samplu.

C2 Rhowch reswm pam y mae'r dulliau samplu canlynol yn rhai gwael:
a) Daeth arolwg a wnaed tu mewn i siop bapur newydd i'r casgliad fod 80% o'r boblogaeth yn prynu papur newydd dyddiol.
b) Dangosodd arolwg ffôn a wnaed am 11 o'r gloch ar fore dydd Sul fod llai na 2% o'r boblogaeth yn mynd i'r eglwys yn gyson.
c) Yn ôl arolwg a wnaed mewn clwb chwarae bingo amcangyfrifwyd fod 60% o'r boblogaeth yn gwylio newyddion 10 o'r gloch bob nos.

C3 Penderfynwch pa rai o'r cwestiynau canlynol (os oes rhai o gwbl) sy'n addas ar gyfer arolwg i ddarganfod pa un o bum pwdin (teisen gaws, salad ffrwythau, treiffl sieri, hufen iâ Knickerbocker neu deisen siocled) yw'r mwyaf poblogaidd. Rhowch reswm dros eich atebion.
a) A ydych chi'n hoffi teisen gaws, salad ffrwythau, treiffl sieri, hufen iâ Knickerbocker neu deisen siocled?
b) Pa mor aml fyddwch chi'n bwyta pwdin?
c) Pa un yw eich hoff bwdin o'r canlynol: teisen gaws; salad ffrwythau; treiffl sieri; hufen iâ Knickerbocker; teisen siocled?
d) Beth yw eich hoff bwdin?
e) Beth yw eich hoff bwdin: teisen gaws; salad ffrwythau; treiffl sieri; hufen iâ Knickerbocker; teisen siocled; dim un o'r rhain.

C4 Roedd papur newydd yn cynnwys yr erthygl ganlynol oedd yn trafod faint o ymarfer corff mae plant yn eu harddegau yn ei gael y tu allan i'r ysgol.

a) Awgrymwch 3 chwestiwn allech chi eu defnyddio mewn arolwg i ddarganfod a yw hyn yn wir yn eich ysgol chi.
b) Mewn ysgol arbennig mae 300 o ddisgyblion ym mhob blwyddyn o flwyddyn 7 i flwyddyn 11. Yn fras ceir nifer cyfartal o ferched ag o fechgyn.
Disgrifiwch sut y byddech chi'n dethol 10% o'r disgyblion ar gyfer samplu haenedig fyddai'n gynrychioliadol o holl ddisgyblion yr ysgol.

Nid yw mwy na hanner yr holl blant sydd yn eu harddegau yn ymarfer o gwbl. Dim ond un o bob deg sy'n chwarae chwaraeon tîm neu sy'n cymryd rhan mewn chwaraeon i unigolion.

ac yn y blaen ac yn y blaen ac yn y blaen ac yn y blaen ac yn y blaen ac yn y blaen ac yn y blaen ac yn y blaen ac yn y blaen ac yn y blaen ac yn y blaen ac yn y blaen ac yn y blaen

4.11 Cwestiynau ar Ddulliau Samplu

C5 Mae Pauline yn rheolwraig mewn caffi bychan. Mae hi'n gwybod fod rhai o'i chwsmeriaid yn prynu diodydd oer o'r peiriant diodydd oer, rhai yn prynu diodydd poeth o'r peiriant diodydd poeth a rhai eraill yn prynu byrbrydau a diodydd wrth y cownter.

Byddai Pauline yn hoffi defnyddio holiadur i ddarganfod a ddylai hi stocio math newydd o cola. Dyma ran o holiadur Pauline:

Holiadur y Caffi

1) Ticiwch y bocs i ddangos pa mor aml rydych chi'n dod i'r caffi:

bob dydd ☐   bob wythnos ☐   bob pythefnos ☐   bob mis ☐   llai na bob mis ☐

---

a) Gan ddefnyddio'r un arddull, cynlluniwch gwestiwn arall y gall Pauline ei gynnwys yn ei holiadur.

b) Mae Pauline yn dosbarthu ei holiadur wrth i'r cwsmeriaid brynu wrth y cownter. Rhowch reswm pam fod hyn yn ffordd addas neu'n ffordd anaddas o ddosbarthu'r holiadur.

Croesair Ystadegau

1) Ychwanegu wrth i chi fynd yn eich blaen (7)

2) Gwyrdd y botel (11)

3) Dim rhyfedd fod breichiau'r diagramau yma yn lledaenu i bob cyfeiriad - mae cymaint o ddewis! (9)

4) Pellter, o'r isaf i'r uchaf (8)

5) Arwynebedd yn hytrach nag uchder pob bar sy'n bwysig yn y math yma o siart. (9)

6) Dyma rywbeth safonol. (7)

7) Dull o gyfrifo cyfartaleddau yw hwn (6)

8) Efallai mai dyma'r ffordd fwyaf cyffredin o ddarganfod cyfartaledd (3)

9) Dull o samplu sy'n ceisio defnyddio'r un cyfraneddau â'r boblogaeth gyfan (5)

10) Mae'n ddigon hawdd darganfod yr amrediad a'r cyfartaledd o'r math yma o dabl (6)

5.1 Cwestiynau ar Linellau Syth

Daliwch ati i ddysgu'r llinellau syth yma. Mae'n rhaid i chi wybod am y llinellau _fertigol/llorweddol_ a'r llinellau sy'n _goleddu_ drwy'r _tarddbwynt_.

C1 Copïwch y diagram yma:

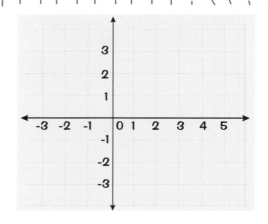

a) Labelwch echelin x.
b) Labelwch echelin y.
c) Lluniwch y llinell x = 3.
d) Lluniwch y llinell y = 2.
e) Lluniwch a labelwch y llinell x + y = 0.
f) Lluniwch a labelwch y llinell x − y = 0.

C2 Copïwch y diagram yma:

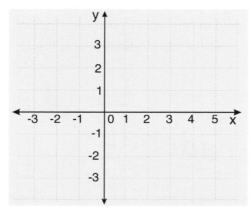

a) Labelwch y llinell x = 0.
b) Labelwch y llinell y = 0.
c) Lluniwch a labelwch y llinell y = x.
d) Lluniwch a labelwch y llinell y = −x.
e) Lluniwch y llinell x = −3.
f) Lluniwch y llinell y = −2.

C3 Nodwch pa lythrennau sy'n cynrychioli'r llinellau canlynol:

a) x = y
b) x = 5
c) y = −x
d) x = 0
e) y = −7
f) x + y = 0
g) y = 5
h) x − y = 0
i) y = 0
j) x = −7?

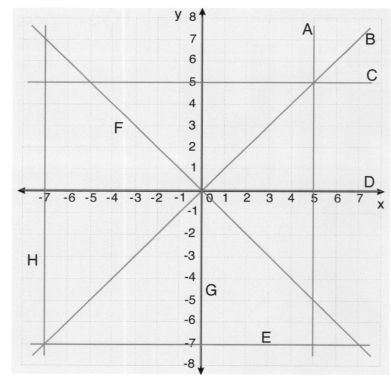

Peidiwch â drysu os oes gennych "x + y = ..." - aildrefnwch yr hafaliad yn "y = −x + ..." a dyna ni, bydd gennych linell rydych yn gyfarwydd â hi.

5.2 Cwestiynau ar Blotio Llinellau Syth

C1   Cwblhewch y tabl canlynol ar gyfer y llinell $y = 3x - 1$:

X	-4	-3	-2	-1	0	1	2	3	4
3x									
-1									
y									

Plotiwch y pwyntiau yma ar bapur graff a lluniwch graff $y = 3x - 1$. Defnyddiwch raddfa o 1cm i 2 uned ar echelin y a 2cm i 1 uned ar echelin x.

C2   Cwblhewch y tabl canlynol ar gyfer y llinell $y = 2x - 2$:

X	-4	-3	-2	-1	0	1	2	3	4
2x									
-2									
y									

Plotiwch y pwyntiau yma ar bapur graff a lluniwch graff $y = 2x - 2$.

C3   Cwblhewch y tabl canlynol ar gyfer y llinell $y = \frac{1}{2}x - 3$:

x	-6	-4	-2	0	2	4	6
$\frac{1}{2}$x							
-3							
y							

Plotiwch y pwyntiau yma ar bapur graff a lluniwch graff $y = \frac{1}{2}x - 3$.

C4   Cwblhewch y tabl canlynol ar gyfer y llinell $y = \frac{1}{4}x - 4$:

x	-8	-4	0	4	8	12	16
$\frac{1}{4}$x							
-4							
y							

Plotiwch y pwyntiau yma ar bapur graff a lluniwch graff $y = \frac{1}{4}x - 4$.

Er mwyn plotio llinell syth, y <u>peth cyntaf</u> sydd raid i chi ei wneud yw cyfrifo tabl o werthoedd, yna unwaith y byddwch yn gwybod eu bod mewn llinell syth, ewch ati i ddefnyddio eich pren mesur.

5.2   Cwestiynau ar Blotio Llinellau Syth

C5   Cwblhewch y tabl gwerthoedd yma ar gyfer $y = 2x + 3$:

X	0	3	8
y			

Plotiwch y pwyntiau yma ar bapur graff a lluniwch graff $y = 2x + 3$. Defnyddiwch eich graff i ddarganfod:

a) Gwerth y pan yw x = 5
b) Gwerth y pan yw x = 2
c) Gwerth x pan yw y = 11
d) Gwerth x pan yw y = 17

C6   Cwblhewch y tabl gwerthoedd yma ar gyfer $y = \frac{1}{4}x - 3$:

X	-8	-4	8
y			

Plotiwch y pwyntiau yma ar bapur graff a lluniwch graff $y = \frac{1}{4}x - 3$. Defnyddiwch eich graff i ddarganfod:

a) Gwerth y pan yw x = 2
b) Gwerth y pan yw x = 0.
c) Gwerth x pan yw y = −2
d) Gwerth x pan yw y = −1.5

C7   Cwblhewch y tabl canlynol ar gyfer y llinell $y = -x + 3$.

X	-4	2	6
y			

Plotiwch y pwyntiau yma ar bapur graff a lluniwch graff $y = -x + 3$. Defnyddiwch eich graff i ddarganfod:

a) Gwerth y pan yw x = 4
b) Gwerth y pan yw x = 1
c) Gwerth x pan yw y = 2
d) Gwerth x pan yw y = 5

C8   Cwblhewch y tabl canlynol ar gyfer y llinell $y = -2x + 4$.

X	-4	0	4
y			

Plotiwch y pwyntiau yma ar bapur graff a lluniwch graff $y = -2x + 4$. Defnyddiwch eich graff i ddarganfod:

a) Gwerth y pan yw x = 3
b) Gwerth y pan yw x = −1
c) Gwerth x pan yw y = 10
d) Gwerth x pan yw y = −2

C9   Cwblhewch y tabl canlynol ar gyfer y llinell $y = -\frac{x}{5} + 3$.

X	-10	-4	10
y			

Plotiwch y pwyntiau yma ar bapur graff a lluniwch graff $y = -\frac{x}{5} + 3$. Defnyddiwch eich graff i ddarganfod:

a) Gwerth y pan yw x = −7
b) Gwerth y pan yw x = −1
c) Gwerth x pan yw y = 3.6
d) Gwerth x pan yw y = 2

C10   Cwblhewch y tabl canlynol ar gyfer y llinell $y = -\frac{x}{4} - 2$.

X	-12	-6	6
y			

Plotiwch y pwyntiau yma ar bapur graff a lluniwch graff $y = -\frac{x}{4} - 2$. Defnyddiwch eich graff i ddarganfod:

a) Gwerth y pan yw x = −4
b) Gwerth y pan yw x = −1
c) Gwerth x pan yw y = −2.75
d) Gwerth x pan yw y = 0

5.2 Cwestiynau ar Blotio Llinellau Syth

C11 Mae cost llogi car yn cael ei gyfrifo drwy ddefnyddio'r fformiwla yma:

Cyfanswm cost = £25 + 20c ar gyfer pob cilometr a deithiwyd.

Copïwch a chwblhewch y tabl yma:

Nifer y cilometrau	0	50	100	200	300	350
Cyfanswm cost mewn £						

Plotiwch y pwyntiau yma ar graff (rhowch y pellter a deithiwyd ar yr echelin lorweddol a chyfanswm y gost ar yr echelin fertigol). Defnyddiwch eich graff i ddarganfod cost llogi'r car ar ôl teithio'r pellteroedd canlynol:

a) 170km

b) 270km

c) 320km.

Defnyddiwch eich graff i ddarganfod faint o gilometrau a deithiwyd pan fydd cyfanswm y gost yma yn:

d) £78

e) £34

f) £42.

C12 Cyfrifir cost trydan drwy ddefnyddio'r fformiwla yma:

Cyfanswm cost = tâl sefydlog + cost yr uned.

Gall cwsmeriaid ddewis dau wahanol ddull o dalu:

Dull A: Tâl sefydlog o £10, cost yr uned o 25c

Dull B: Tâl sefydlog o £40, cost yr uned o 5c

Copïwch a chwblhewch y tabl yma:

Nifer yr Unedau a ddefnyddiwyd	0	100	200	300
Cost wrth ddefnyddio dull A				
Cost wrth ddefnyddio dull B				

Plotiwch y pwyntiau yma ar graff (rhowch nifer yr unedau ar yr echelin lorweddol, a'r gost ar yr echelin fertigol):

a) Defnyddiwch eich graff i ddarganfod cyfanswm y gost pan ddefnyddir 70 uned ar gyfer:

  i) Dull A

  ii) Dull B

b) Defnyddiodd Miss Morgan 75 o unedau. Pa ddull ddylai hi ei ddefnyddio er mwyn cael y bil lleiaf, Dull A ynteu Dull B?

c) Defnyddiodd Mr Jones a Mrs Williams yr un unedau yn union a thalu'r un faint o arian. Defnyddiodd Mr Jones Ddull A, defnyddiodd Mrs Williams Ddull B. Sawl uned ddefnyddiodd y naill a'r llall?

Os ydych yn gwybod mai llinell syth sydd dan sylw y cyfan sydd ei angen mewn gwirionedd yw <u>dau</u> bwynt, ond mae bob amser yn <u>syniad da</u> defnyddio tri - dim ond er mwyn bod yn ddiogel!

5.3   *Cwestiynau ar Y = mX + C*

Dyma ffordd gampus o ddarganfod y graddiant a'r rhyngdoriad-y – mae'n <u>rhaid</u> i chi wybod hyn gan y bydd yn arbed llawer o amser i chi.

C1   Beth yw graddiant:
- **a)** llinell A
- **b)** llinell B
- **c)** llinell C
- **d)** llinell D
- **e)** llinell E
- **f)** llinell F
- **g)** llinell G
- **h)** llinell H
- **i)** llinell I
- **j)** llinell J?

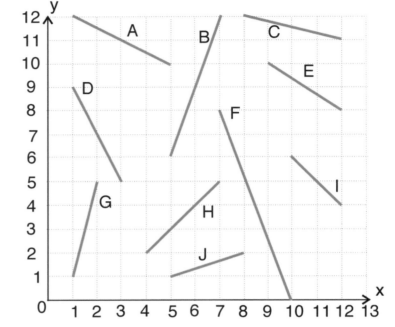

Mae'r rhain yn edrych ychydig fel algebra - ond peidiwch â phoeni nid ydynt yn rhy anodd!

C2   Ar gyfer pob un o'r llinellau canlynol, rhowch raddiant a chyfesurynnau'r pwynt lle mae'r llinell yn croesi'r echelin y.

- **a)** $y = 4x + 3$
- **b)** $y = 3x - 2$
- **c)** $y = 2x + 1$
- **d)** $y = -3x + 3$
- **e)** $y = 5x$
- **f)** $y = -2x + 3$
- **g)** $y = -6x - 4$
- **h)** $y = x$
- **i)** $y = -\frac{1}{2}x + 3$
- **j)** $y = \frac{1}{4}x + 2$
- **k)** $3y = 4x + 6$

- **l)** $2y = -5x - 4$
- **m)** $8y = 4x - 12$
- **n)** $3y = 7x + 5$
- **o)** $x + y = 0$
- **p)** $x - y = 0$
- **q)** $y - x = 3$
- **r)** $x - 3 = y$
- **s)** $y - 7 = 3x$
- **t)** $y - 5x = 3$
- **u)** $y + 2x + 3 = 0$
- **v)** $y - 2x - 4 = 0$

C3   Beth yw graddiant y llinellau sy'n cysylltu'r pwyntiau:

- **a)** (3,5) a (5,9)
- **b)** (6,3) a (10,5)
- **c)** (−6,4) a (−3,1)
- **d)** (8,2) a (4,10)
- **e)** (8,5) a (6,4)
- **f)** (−3,−1) a (1,−4)?

Mae graddiannau ar i fyny bob amser yn bositif ac mae graddiannau ar i lawr bob amser yn negatif.

ADRAN PUMP - GRAFFIAU

5.3   *Cwestiynau ar Y = mX + C*

C4   Darganfyddwch hafaliadau y llinellau canlynol:
- **a)** A
- **b)** B
- **c)** C
- **d)** D
- **e)** E
- **f)** F

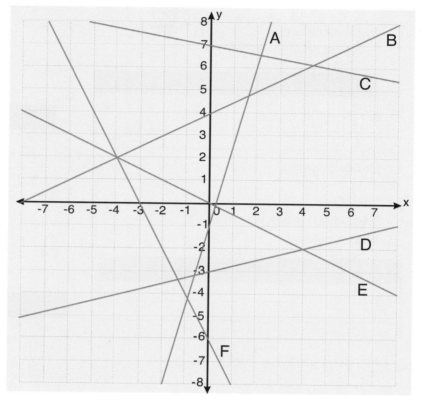

Efallai bod hyn yn swnio'n anodd, ond y cwbl sydd raid i chi ei wneud yw darganfod y graddiant (m) ac edrych ar y rhyngdoriad-y (c) a'u rhoi i mewn yn "y = mx + c" – digon hawdd.

C5   Darganfyddwch hafaliad y llinell syth sy'n mynd drwy:
- **a)** (3,7) gyda graddiant o 1
- **b)** (2,8) gyda graddiant o 3
- **c)** (−3,3) gyda graddiant o 2
- **d)** (4,−4) gyda graddiant o −1
- **e)** (−1,7) gyda graddiant o −3
- **f)** (4,−11) gyda graddiant o −2.

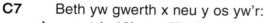

Dyma fwy o ymarfer gyda graddiannau.

C6   Ysgrifennwch hafaliad y llinell sy'n mynd drwy'r pwyntiau:
- **a)** (2,2) a (5,5)
- **b)** (1,3) a (4,12)
- **c)** (−2,−3) a (5,11)
- **d)** (1,0) a (5,−12)
- **e)** (−5,6) a (−1,−2)
- **f)** (4,23) a (−2,−7)

C7   Beth yw gwerth x neu y os yw'r:
- **a)** pwynt (x,13) ar y llinell $y = 3x + 1$
- **b)** (x, −2) ar y llinell $y = \frac{1}{2}x − 6$
- **c)** (4,y) ar y llinell $y = 2x − 1$
- **d)** (−3,y) ar y llinell $y = −3x$?

C8   Pa un o'r pwyntiau canlynol sy'n gorwedd ar y llinell $y = 3x − 1$?
     (7, 20), (6, 15), (5, 14)

5.4   *Cwestiynau ar Blotio Cromliniau*

Mae hi bob amser yn syniad da rhoi <u>llawer</u> o gamau yn eich <u>tabl gwerthoedd</u> - fel hyn mae hi'n <u>haws gwirio</u> unrhyw bwyntiau sy'n edrych yn anghywir.

C1   Cwblhewch y tabl gwerthoedd yma ar gyfer $y = x^2 + 2$:

x	-3	-2	-1	0	1	2	3
x^2							
+2							
y							

Lluniwch graff $y = x^2 + 2$

C2   Cwblhewch y tabl gwerthoedd yma ar gyfer $y = 2x^2 - 4$:

x	-3	-2	-1	0	1	2	3
$2x^2$							
-4							
y							

Lluniwch graff $y = 2x^2 - 4$

C3   Cwblhewch y tabl gwerthoedd yma ar gyfer $y = -x^2 + 2$:

x	-3	-2	-1	0	1	2	3
$-x^2$							
+2							
y							

Lluniwch graff $y = -x^2 + 2$:

C4   Cwblhewch y tabl gwerthoedd yma ar gyfer $y = -2x^2 + 6$:

x	-3	-2	-1	0	1	2	3
$-2x^2$							
+6							
y							

Lluniwch graff $y = -2x^2 + 6$.

C5   Cwblhewch y tabl gwerthoedd yma ar gyfer $y = x^3$:

x	-3	-2	-1	0	1	2	3
$y=x^3$							

Lluniwch graff $y = x^3$.

C6   Cwblhewch y tabl gwerthoedd yma ar gyfer $y = -x^3$:

x	-3	-2	-1	0	1	2	3
$y=-x^3$							

Lluniwch graff $y = -x^3$

C7   Cwblhewch y tabl gwerthoedd yma ar gyfer $y = x^3 + 4$:

x	-3	-2	-1	0	1	2	3
x^3							
+4							
y							

Lluniwch graff $y = x^3 + 4$

C8   Cwblhewch y tabl gwerthoedd yma ar gyfer $y = -x^3 - 4$:

x	-3	-2	-1	0	1	2	3
$-x^3$							
-4							
y							

Lluniwch graff $y = -x^3 - 4$.

C9   Edrychwch ar eich graffiau ar gyfer cwestiynau 5 a 7. Beth sydd wedi cael ei wneud i graff 5 i'w newid yn graff 7? Heb blotio tabl gwerthoedd lluniwch graff $y = x^3 - 4$.

C10   Edrychwch ar eich graffiau ar gyfer cwestiynau 6 ac 8. Beth sydd wedi cael ei wneud i graff 6 i'w newid yn graff 8? Heb blotio tabl gwerthoedd lluniwch graff $y = -x^3 + 4$.

5.5 Cwestiynau ar Ddatrys Hafaliadau gan Ddefnyddio Graffiau

C1 Defnyddiwch y graff i ddatrys yr hafaliadau cydamserol canlynol:

a) $y - 3x = -7$ ac $y + x = 9$
b) $y - 3x = -7$ a $3y - x = 3$
c) $y + x = 9$ a $3y - x = 3$

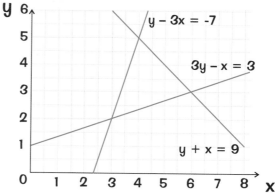

Mae hon yn ffordd <u>hawdd</u> o ddatrys hafaliadau cydamserol. Y cyfan sydd raid i chi allu ei wneud yw llunio dau graff llinell syth a darllen y gwerth lle maen nhw'n <u>croesi ei gilydd</u>. Rhaid i chi fod yn gallu delio â graffiau llinell syth i wneud hyn.

C2

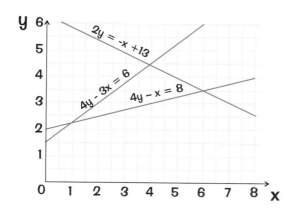

Defnyddiwch y graff i ddatrys yr hafaliadau cydamserol canlynol:

a) $4y - x = 8$ a $4y - 3x = 6$
b) $4y - x = 8$ a $2y = -x + 13$

C3 Defnyddiwch y graff i ddatrys yr hafaliadau cydamserol canlynol:

a) $2y - x = 2$
$y + x = 4$

b) $2y - x = 2$
$2y + x = -6$

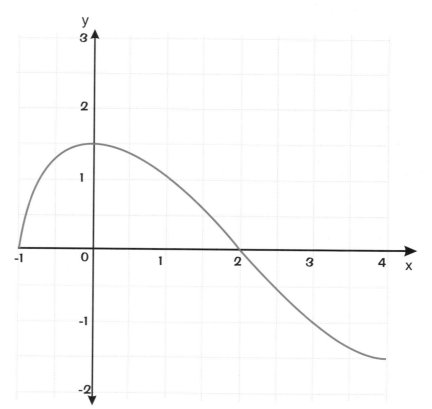

5.5 Cwestiynau ar Ddatrys Hafaliadau gan Ddefnyddio Graffiau

C4 Datryswch yr hafaliadau cydamserol canlynol drwy lunio graffiau. Defnyddiwch werthoedd $0 \leq x \leq 6$

a) $y = x$
   $y = 9 - 2x$

b) $y = 2x + 1$
   $2y = 8 + x$

c) $y = 4 - 2x$
   $x + y = 3$

d) $y = 3 - x$
   $3x + y = 5$

e) $2x + y = 6$
   $y = 3x + 1$

f) $y = 2x$
   $y = x + 1$

g) $x + y = 5$
   $2x - 1 = y$

h) $2y = 3x$
   $y = x + 1$

i) $y = x - 3$
   $y + x = 7$

j) $y = x + 1$
   $2x + y = 10$

C5 Mae'r diagram yn dangos y graffiau:
   $y = x^2 - x$
   $y = x + 2$
   $y = 8$
   $y = -2x + 4$

Defnyddiwch y graffiau i ddarganfod datrysiadau'r canlynol:

a) $x^2 - x = 0$

b) $x^2 - x = x + 2$

c) $x^2 - x = 8$

d) $x^2 - x = -2x + 4$

e) $-2x + 4 = x + 2$

f) $x^2 - x - 8 = 0$

g) $x^2 + x = 4$

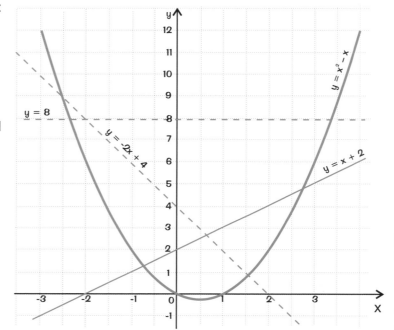

 Mae'r hafaliadau yma'n ymddangos braidd yn anodd, ond maen nhw'n cynnwys yr hafaliadau y mae gennych graffiau ar eu cyfer - a rydych yn gwybod sut i wneud gweddill y gwaith.

C6 Cwblhewch y tabl yma ar gyfer $y = x^2 - 4$:

X	-4	-3	-2	-1	0	1	2	3	4
x^2									
-4									
y									

Lluniwch graff $y = x^2 - 4$.
Defnyddiwch eich graff i ddatrys yr hafaliadau canlynol (i 1 lle degol):

a) $x^2 - 4 = 1$

b) $x^2 - 4 = 0$

c) $x^2 - 4 = x$

5.5 Cwestiynau ar Ddatrys Hafaliadau gan Ddefnyddio Graffiau

C7 Cwblhewch y tabl yma ar gyfer $y = -\frac{1}{2}x^2 + 5$

X	-4	-3	-2	-1	0	1	2	3	4
$-\frac{1}{2}x^2$									
$+5$									
y									

Lluniwch graff $y = -\frac{1}{2}x^2 + 5$

Defnyddiwch eich graff i ddatrys yr hafaliadau canlynol (i 1 lle degol):

a) $-\frac{1}{2}x^2 + 5 = 0$

b) $-\frac{1}{2}x^2 + 5 = -3$

c) $-\frac{1}{2}x^2 + 5 = x$

O hyn ymlaen, chi fydd yn gorfod llunio'ch graffiau eich hun.

C8 Defnyddiwch ddulliau graffigol i ddatrys yr hafaliadau canlynol:

a) $x^2 + 3x = -2$ (defnyddiwch WERTHOEDD $-4 \leqslant x \leqslant 2$)

b) $x^2 - 6 = x$ (defnyddiwch WERTHOEDD $-4 \leqslant x \leqslant 4$)

c) $x^2 + 2 = x + 4$ (defnyddiwch WERTHOEDD $-4 \leqslant x \leqslant 4$)

d) $x^2 + 7x = -12$ (defnyddiwch WERTHOEDD $-5 \leqslant x \leqslant 0$)

e) $x^2 - 4 = -3x$ (defnyddiwch WERTHOEDD $-5 \leqslant x \leqslant 2$)

f) $x^2 - 4x = -3$ (defnyddiwch WERTHOEDD $0 \leqslant x \leqslant 5$)

g) $2x^2 + 5x = -2$ (defnyddiwch WERTHOEDD $-3 \leqslant x \leqslant 0$)

h) $x^2 + 3x = x + 4$ (defnyddiwch WERTHOEDD $-4 \leqslant x \leqslant 4$)

C9 Mae gwrthrych yn cychwyn o bwynt O ac yn symud mewn llinell syth fel bo'i ddadleoliad o O yn d metr pan yw'r amser yn a. Rhoddir ei hafaliad gan $d = \frac{1}{2}a(5-a)$.

a) Cwblhewch y tabl canlynol:

a	0	1	2	2.5	3	4	5	6
$\frac{1}{2}a$								
$(5-a)$								
$d = \frac{1}{2}a(5-a)$								

b) Lluniwch graff i ddangos gwerthoedd a o 0 i 6 ar y raddfa lorweddol gan ddefnyddio graddfa o 2cm i 1 eiliad. Defnyddiwch raddfa o 2cm i 1 metr ar gyfer gwerthoedd d ar y raddfa fertigol.

c) Defnyddiwch eich graff i ateb y cwestiynau canlynol:

i) Ar ôl sawl eiliad fydd y gwrthrych yn dychwelyd i O?

ii) Beth yw ei bellter mwyaf o O yn ystod y 6 eiliad?

iii) Ar ôl sawl eiliad oedd y gwrthrych bellaf o O?

iv) Ar ôl sawl eiliad oedd y gwrthrych 1 metr o O? (rhowch eich ateb yn gywir i 1 lle degol)

5.6 Cwestiynau ar Dangiadau a Graddiant

C1 Dyma graff $y = x^2$

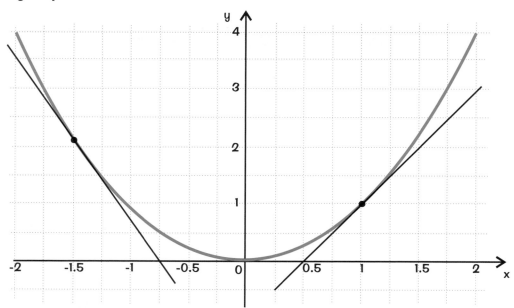

Mae tangiadau i'r gromlin wedi eu tynnu yn $x = 1$ ac $x = -1.5$. Defnyddiwch y tangiadau hyn i gyfrifo graddiant y gromlin yn:

a) $x = 1$

b) $x = -1.5$.

Graddiannau unwaith eto! Mae gan dangiad i'r gromlin mewn pwynt arbennig yr un graddiant â'r gromlin yn y pwynt hwnnw.

C2 Dyma graff $y = x^2 + 3x$.

Mae tangiadau i'r gromlin wedi eu llunio yn $x = 1$ ac $x = -2$.

Defnyddiwch y tangiadau yma i gyfrifo graddiant y gromlin yn:

a) $x = 1$

b) $x = -2$.

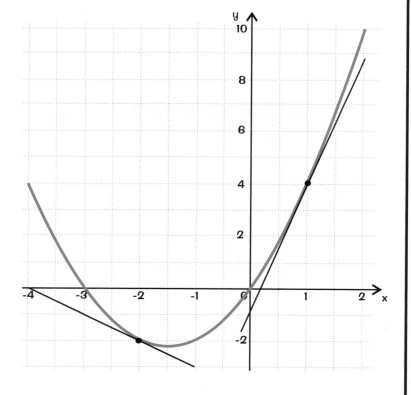

5.6 Cwestiynau ar Dangiadau a Graddiant

C3   Cwblhewch y tabl yma ar gyfer y gromlin $y = \frac{1}{2}x^2 - 3$

X	-3	-2	-1	0	1	2	3
$\frac{1}{2}x^2$							
-3							
y							

Lluniwch gromlin ar gyfer y gwerthoedd $-3 \leq x \leq 3$. Darganfyddwch raddiant y gromlin yn:
a) $x = -2$
b) $x = 1$.
c) Beth yw gwerth x pan yw'r graddiant yn 0?

Sicrhewch eich bod yn llunio cromliniau sy'n <u>hollol llyfn</u> - er mwyn cael tangiad mwy <u>manwl gywir</u> ... ac atebion <u>cywirach</u> (pwysicach fyth!)

C4   Cwblhewch y tabl yma ar gyfer y gromlin $y = x^2 - 5x$

X	-3	-2	-1	0	1	2	3
x^2							
-5x							
y							

Lluniwch gromlin ar gyfer y gwerthoedd $-3 \leq x \leq 3$. Darganfyddwch raddiant y gromlin yn:
a) $x = 2$
b) $x = 0$
c) $x = 1$
d) Beth yw gwerth x pan yw'r graddiant yn 0?

C5   Cwblhewch y tabl yma ar gyfer y gromlin $y = x^2 + 3x - 2$

X	-3	-2	-1	0	1	2	3
x^2							
+3x							
-2							
y							

Lluniwch gromlin ar gyfer y gwerthoedd $-3 \leq x \leq 3$. Darganfyddwch raddiant y gromlin yn:
a) $x = 2$
b) $x = -1$
c) $x = 1$
d) Beth yw gwerth x pan yw'r graddiant yn 0?

5.6 Cwestiynau ar Dangiadau a Graddiant

C6 Mae carreg yn cael ei thaflu i'r awyr. Mae'r graff hwn yn dangos uchder y garreg yn erbyn amser. Drwy lunio tangiadau amcangyfrifwch fuanedd y garreg ar ôl:

a) 3 eiliad

b) 5 eiliad

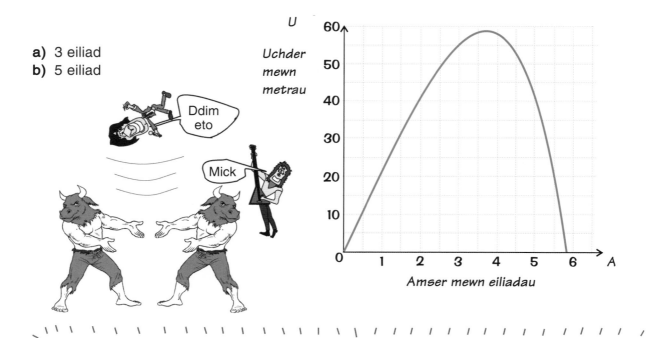

Peidiwch â drysu wrth weithio gyda thangiadau ... os oes mwy nag un tangiad, defnyddiwch wahanol liwiau ... bydd hyn yn gwneud y gwaith yn llawer mwy diddorol!

C7 Mae roced yn cael ei thanio yn fertigol. Mae'n cyrraedd ei huchder macsimwm yna mae'n dychwelyd i'r ddaear.
Drwy lunio tangiadau amcangyfrifwch fuanedd y roced ar ôl:

a) 2 eiliad

b) 3 eiliad

c) 5 eiliad

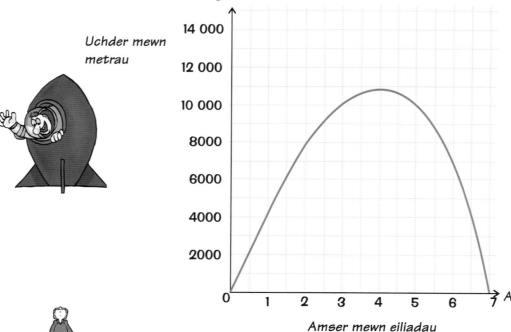

5.7 Cwestiynau ar Graffiau i'w Hadnabod

C1 Nodwch pa fath o graff a ddangosir isod. Dyma'r dewis: llinell syth, cwadratig, ciwbig a chilyddol:

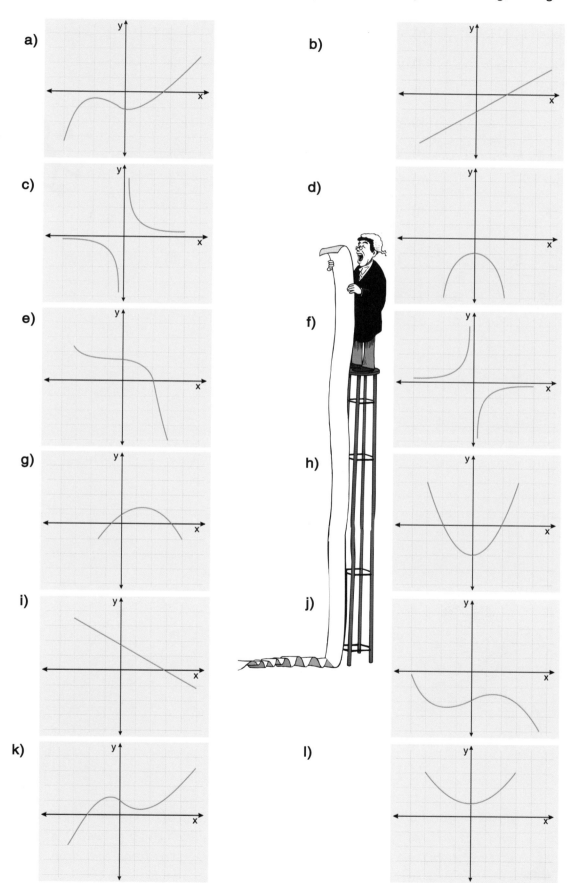

a)

b)

c)

d)

e)

f)

g)

h)

i)

j)

k)

l)

5.7 Cwestiynau ar Graffiau i'w Hadnabod

C2 Dyma rai hafaliadau, ac oddi tanynt ceir cromliniau. Gosodwch yr hafaliadau gyda'r cromliniau sy'n cyfateb ar y tudalen yma a'r tudalen sy'n dilyn.

a) $y = 3x + 1$

b) $y = 4x - 1$

c) $y = -2x - 1$

d) $y = 3^x$

e) $y = -2x$

f) $y = 3x$

g) $y = -x^2$

h) $y = x^2 + 2$

i) $y = x^2 - 3$

j) $y = -x^2 + 3$

k) $y = -x^2 - 3$

l) $y = x^2$

m) $y = x^3 + 3$

n) $y = 2x^3 - 3$

o) $y = -\frac{1}{2}x^3 + 2$

p) $y = -x^3 + 3$

q) $y = x^3$

r) $y = -\frac{3}{x}$

s) $y = \frac{2}{x}$

t) $y = \frac{1}{x^2}$

u) $y = -\frac{1}{x^2}$

i)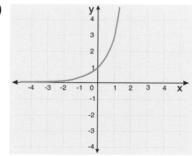

ii)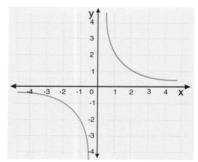

iii)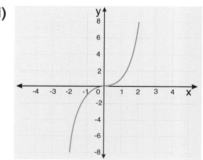

iv)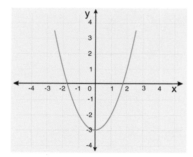

v)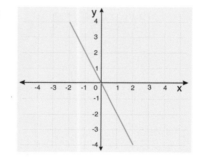

vi)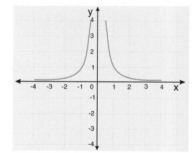

vii)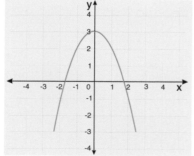

viii)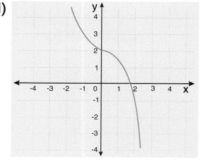

ix)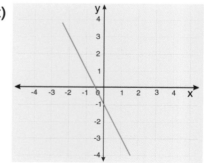

Bydd angen i chi *gofio* sut i wneud *braslun o graff*. Peidiwch â phoeni dim ond y 5 prif rai fydd disgwyl i chi eu cofio - llinell *syth* (hawdd), x² (bwcedi), x³ (tro dwbl), $\frac{1}{x}$ (2 ddarn a "x=0" ar goll), kˣ (tro bach slei drwy (0,1)).

5.7 Cwestiynau ar Graffiau i'w Hadnabod

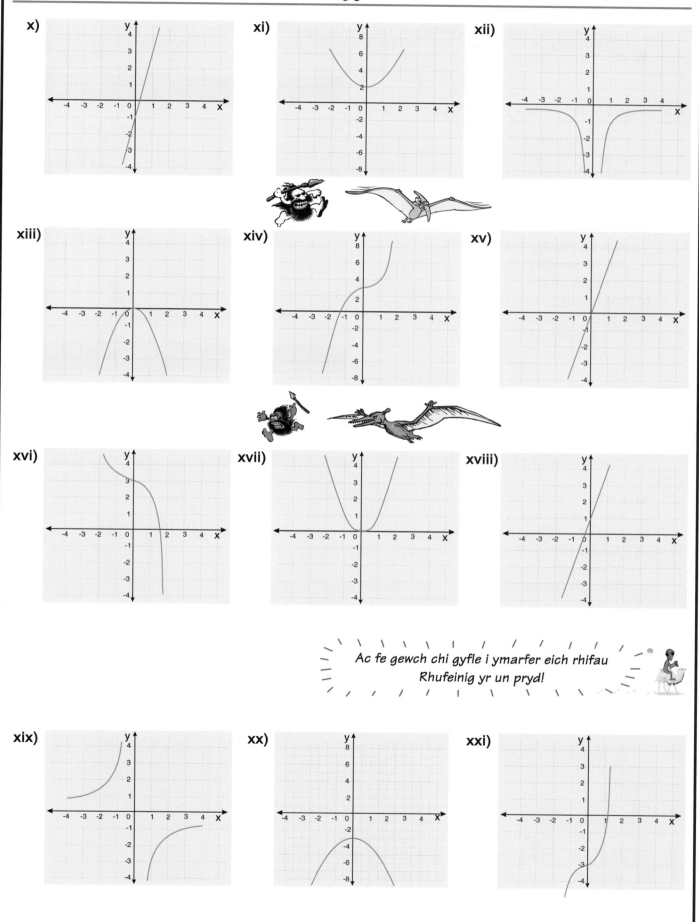

Ac fe gewch chi gyfle i ymarfer eich rhifau Rhufeinig yr un pryd!

5.8 Cwestiynau ar Hafaliadau o Graffiau

Sicrhewch eich bod yn gwybod sut olwg sydd ar y pedwar prif gromlin, a beth yw eu hafaliadau - yna y cyfan sydd raid i chi ei wneud yw darganfod y ddau anhysbysyn a'u gosod yn ôl drachefn.

C1 Mae'r tabl yn dangos pris trydan.

Nifer yr unedau a ddefnyddiwyd	100	200	300	500
Pris (£)	8	11	14	20

Plotiwch y pwyntiau ar graff gyda nifer yr unedau a ddefnyddiwyd ar yr echelin lorweddol a'r pris (£) ar yr echelin fertigol.

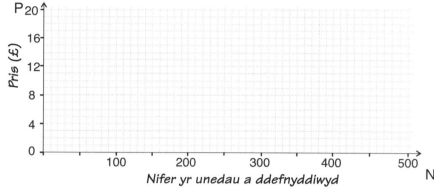

a) Darganfyddwch fformiwla sy'n cysylltu'r pris (P) â nifer yr unedau (N) a ddefnyddiwyd.

b) Defnyddiwch eich fformiwla i gyfrifo pris:
  i) 400 uned
  ii) 700 uned.

C2 Mae'r tabl yn dangos costau llafur trwsio teledu. Mae'r gost yn cynnwys tâl galw-allan sefydlog yn ogystal â thâl am bob deg munud. Plotiwch y pwyntiau ar graff gyda'r amser ar yr echelin lorweddol a'r gost ar yr echelin fertigol.

Amser (munudau)	10	20	30	40	50
Cost (£)	8	10		14	16

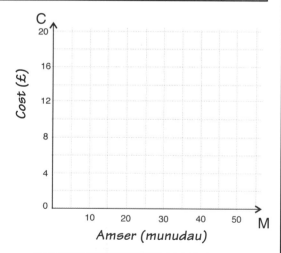

a) Darganfyddwch fformiwla sy'n cysylltu'r gost (C) mewn punnoedd a'r amser (M) mewn munudau.

b) Beth yw'r tâl galw-allan sefydlog?

c) Defnyddiwch eich graff i ddarganfod y gost ar gyfer 30 munud.

d) Defnyddiwch eich fformiwla i ddarganfod y gost yma ar gyfer:
  i) 80 munud
  ii) 100 munud
  iii) 3 awr.

C3 Mae dau newidyn, x ac y, yn cael eu cysylltu gan yr hafaliad y = mx + c.
Lluniwch graff gydag x ar yr echelin lorweddol ac y ar yr echelin fertigol. Defnyddiwch eich graff i ddarganfod gwerth:

x	1	3	5	8
y	9	17	25	37

a) m
b) c
— a thrwy hyn:
c) ysgrifennwch yr hafaliad sy'n cysylltu x ac y.
d) Defnyddiwch eich hafaliad i ddarganfod gwerth y pan yw:
  i) x = 6
  ii) x = 10

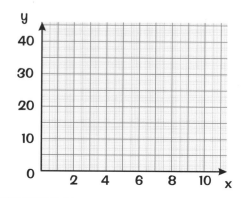

5.8 Cwestiynau ar Hafaliadau o Graffiau

C4 Mae dau newidyn, x ac y, yn cael eu cysylltu gan yr hafaliad $y = ax^2 + b$.

Dyma rai o werthoedd x ac y.

x	2	3	4	5
y	5	7.5	11	15.5

Lluniwch graff yn plotio x^2 ar yr echelin lorweddol gan ddefnyddio graddfa o 1cm i 2 uned ac y ar yr echelin fertigol gan ddefnyddio graddfa o 1cm i 1 uned.
Defnyddiwch eich graff i ddarganfod:
a) gwerth a
b) gwerth b.
c) Ysgrifennwch yr hafaliad sy'n cysylltu x ac y.

C5 Mae dau newidyn, x ac y, yn cael eu cysylltu gan yr hafaliad $y = ax^2 + b$.

Dyma rai gwerthoedd ar gyfer x ac y.

x	1	2	3	4
y	-1	5	15	29

Lluniwch graff sy'n plotio x^2 ar yr echelin lorweddol gan ddefnyddio graddfa o 1cm i 1 uned ac y ar yr echelin fertigol gan ddefnyddio graddfa o 1cm i 2 uned.
Defnyddiwch eich graff i ddarganfod:
a) gwerth a
b) gwerth b.
c) Ysgrifennwch yr hafaliad sy'n cysylltu x ac y.

C6 Mae dau newidyn, A a B, yn cael eu cysylltu gan yr hafaliad $A = mB^2 + c$.

Dyma rai gwerthoedd ar gyfer A a B.

B	1	2	3	4
A	10.25	11	12.25	14

Dewiswch raddfeydd addas a lluniwch graff yn plotio B^2 ar yr echelin lorweddol ac A ar yr echelin fertigol.
Defnyddiwch eich graff i ddarganfod:
a) gwerth m
b) gwerth c.
c) Ysgrifennwch yr hafaliad sy'n cysylltu A a B.

C7 Mae dau newidyn, C a D, yn cael eu cysylltu gan yr hafaliad $C = aD^3 + b$.

Dyma rai gwerthoedd ar gyfer C a D.

D	1	2	2.5	3
C	-4	3	10.625	22

Dewiswch raddfeydd addas a lluniwch graff yn plotio D^3 ar yr echelin lorweddol ac C ar yr echelin fertigol. Defnyddiwch eich graff i ddarganfod:
a) gwerth a
b) gwerth b.
c) Ysgrifennwch yr hafaliad sy'n cysylltu C a D.

Gallent roi unrhyw un o'r 4 prif gromlin i chi - sgwâr, ciwbig, esbonyddol neu drigonometrig.

5.8 Cwestiynau ar Hafaliadau o Graffiau

C8 Mewn arbrawf cymerwyd mesuriadau dau newidyn, A a B.

Dangosir y gwerthoedd yn y tabl yma.

A	1	1.5	2	2.5	3
B	2.8	3.7	4.9	5.9	6.7

Cysylltir A a B gan yr hafaliad B = mA + c.
Plotiwch y gwerthoedd a geir yn yr arbrawf ar graff. Plotiwch A ar yr echelin lorweddol a B ar yr echelin fertigol. Tynnwch y llinell ffit orau a thrwy hyn darganfyddwch werthoedd:

a) m
b) c.
c) Ysgrifennwch yr hafaliad sy'n cysylltu A a B.

C9 Mewn arbrawf cymerwyd mesuriadau dau newidyn, P a Q.

Dangosir y gwerthoedd yn y tabl yma.

P	0.5	1	1.5	2	2.5
Q	3.3	4.7	6.3	8.1	9.2

Cysylltir P a Q gan yr hafaliad Q = aP + b.
Plotiwch y gwerthoedd a geir yn yr arbrawf ar graff. Plotiwch P ar yr echelin lorweddol a Q ar yr echelin fertigol. Tynnwch y llinell ffit orau a thrwy hyn darganfyddwch werthoedd:

a) a
b) b.
c) Ysgrifennwch yr hafaliad sy'n cysylltu P a Q.

C10 Mae dau newidyn, A a B yn cael eu cysylltu gan yr hafaliad $B = mA^3 + c$.

Dyma rai gwerthoedd A a B.

A	1	2	3	4	5
B	-10	-3	16	51	117

Dewiswch raddfeydd addas a lluniwch graff addas (plotiwch B ar yr echelin fertigol).
Tynnwch y llinell ffit orau. Defnyddiwch eich graff i ddarganfod gwerth:

a) m
b) c.
c) Ysgrifennwch yr hafaliad sy'n cysylltu A a B.

C11 Cysylltir dau newidyn, C a D, gan yr hafaliad $D = aC^n + b$.
Gwyddwn fod gwerth n yn un ai 2 neu 3.

Dyma rai gwerthoedd C a D.

C	1	2	3	4	5
D	10.5	12	14.5	18	22.5

Dewiswch raddfeydd addas a lluniwch graff addas (plotiwch D ar yr echelin fertigol).
Defnyddiwch eich graff i ddarganfod gwerth:

a) a
b) b
c) n.
d) Ysgrifennwch yr hafaliad sy'n cysylltu C a D.

5.9 Cwestiynau ar Arwynebedd

C1 Dyma graff buanedd-amser taith trên.

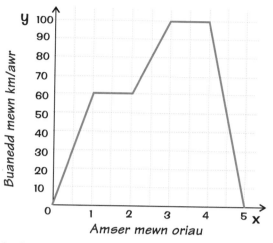

a) Cyfrifwch y pellter a deithiwyd yn ystod:
  i) Y ddwy awr gyntaf.
  ii) Y ddwy awr olaf.
b) Cyfrifwch gyfanswm y pellter a deithiwyd.

C2 Dyma graff buanedd-amser taith feic.

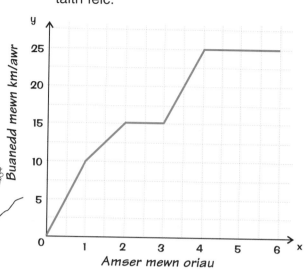

a) Cyfrifwch y pellter a deithiwyd yn ystod:
  i) Y ddwy awr gyntaf.
  ii) Y ddwy awr olaf.
b) Cyfrifwch gyfanswm y pellter a deithiwyd.

Adiwch yr holl drapesiymau bychain i gael cyfanswm yr arwynebedd.

C3 Mae'r graff yma yn dangos buanedd trên dros gyfnod o chwe eiliad.

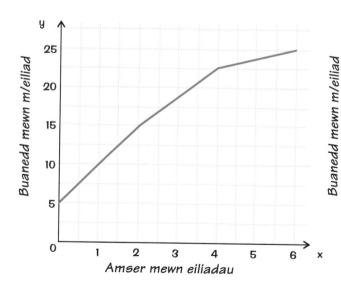

Amcangyfrifwch gyfanswm y pellter a deithiwyd dros y cyfnod o chwe eiliad drwy rannu'r arwynebedd yn dri thrapesiwm cyfartal o ran lled.

C4 Mae'r graff yma yn dangos buanedd trên yn ystod cyfnod o wyth eiliad.

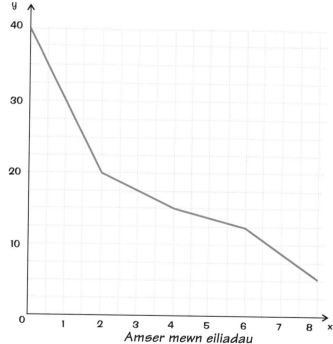

Amcangyfrifwch gyfanswm y pellter a deithiwyd dros y cyfnod o wyth eiliad drwy rannu'r arwynebedd yn bedwar trapesiwm cyfartal o ran lled.

5.10   Cwestiynau ar Raglennu Llinol

C1   Copïwch a chwblhewch y diagram yma i ddangos yr anhafaleddau:

$y > 1, x > 2, x + y < 6$

Lliwiwch y rhan sy'n bodloni'r holl anhafaleddau.

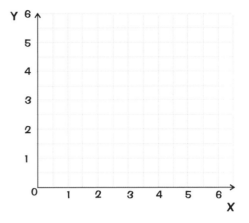

Gall pethau fynd yn gymysglyd os byddwch yn ceisio darganfod pa ochr o bob llinell sydd raid ei lliwio. Yn hytrach na rhuthro i ddyfalu, cofiwch wirio drwy edrych ar gyfesuryn yn gyntaf.

C2   Copïwch a chwblhewch y diagram yma i ddangos yr anhafaleddau:

$y > 0, x > 0, 3x + 4y \leqslant 12$

Lliwiwch y rhan sy'n bodloni'r holl anhafaleddau.

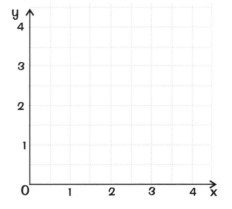

Y cyfesuryn hawsaf i roi cynnig arno yw (0,0), ond ni allwch ei ddefnyddio os yw ar unrhyw un o'r llinellau, felly rhowch gynnig ar rywbeth fel (1,0), (0,1) neu (1,1) - mae'n well cadw pethau'n syml.

C3   Copïwch a chwblhewch y diagram yma i ddangos yr anhafaleddau:

$2x + 3y \leqslant 12, x \geqslant 0, y \geqslant 0, 2x + 3y \geqslant 6$

Lliwiwch y rhan sy'n bodloni'r holl anhafaleddau.

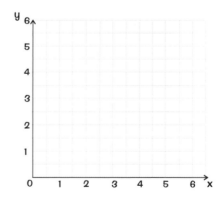

C4   Copïwch a chwblhewch y diagram yma i ddangos yr anhafaleddau:

$x > 1, x < 6, y > 0, x > y$

Lliwiwch y rhan sy'n bodloni'r holl anhafaleddau.

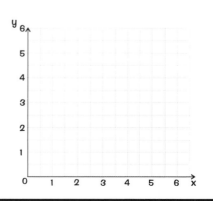

5.10 Cwestiynau ar Raglennu Llinol

C5 Disgrifiwch y rhan sydd wedi ei lliwio gan ddefnyddio anhafaleddau.

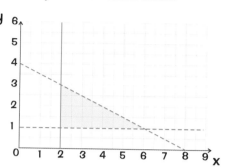

C6 Disgrifiwch y rhan sydd wedi ei lliwio gan ddefnyddio anhafaleddau.

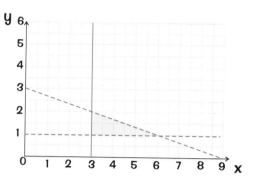

C7 Disgrifiwch y rhan sydd wedi ei lliwio gan ddefnyddio anhafaleddau.

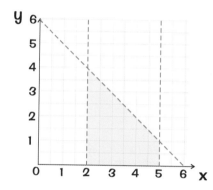

C8 Disgrifiwch y rhan sydd wedi ei lliwio gan ddefnyddio anhafaleddau.

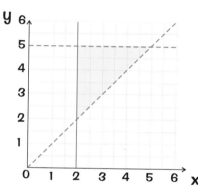

 Mae'r rhain yn union yr un fath â'r rhai ar y tudalen cynt, ond o chwith ... y cyfan sydd raid i chi ei wneud yw cyfrifo'r hafaliadau - ac roeddech yn gwneud hynny 3 tudalen yn ôl.

C9 Mae gan Sara uchafswm o £100 i'w wario ar lyfrau a chryno ddisgiau. Mae llyfrau yn costio £5 yr un ac mae cryno ddisgiau yn costio £10 yr un. Mae'n rhaid iddi brynu mwy o gryno ddisgiau nag o lyfrau. Mae'n rhaid iddi brynu 5 llyfr o leiaf.
a) Ysgrifennwch dri anhafaledd i ddangos y cyfyngiadau.
b) Lluniwch graff rhaglen linol i ddangos yr anhafaleddau hyn. Rhowch lyfrau (L) ar yr echelin lorweddol a chryno ddisgiau (C) ar yr echelin fertigol.
c) Lliwiwch y rhan sy'n bodloni'r anhafaleddau hyn.
d) Ysgrifennwch yr holl ddatrysiadau sy'n bodloni'r anhafaleddau hyn.

C10 Mae gan Mr Smith uchafswm o £10,000 i'w wario ar beiriannau. Mae ganddo'r dewis o ddau beiriant. Mae peiriant A yn costio £200 a pheiriant B yn costio £500, ac mae'n rhaid iddo brynu o leiaf 40 o beiriannau.
a) Ysgrifennwch ddau anhafaledd i ddisgrifio'r cyfyngiadau.
b) Lluniwch graff rhaglen linol i ddangos yr anhafaleddau hyn. Rhowch beiriant A ar yr echelin lorweddol a pheiriant B ar yr echelin fertigol.
c) Lliwiwch y rhan sy'n bodloni'r anhafaleddau hyn.
d) Mae peiriant A yn cynhyrchu 4 eitem y dydd ac mae peiriant B yn cynhyrchu 11 eitem y dydd. Mae Mr Smith eisiau cael y cynnyrch mwyaf.
   i) Sawl peiriant math A ddylai o brynu?
   ii) Sawl peiriant math B ddylai o brynu?
   iii) Beth yw'r nifer mwyaf o eitemau y gellir eu cynhyrchu mewn diwrnod?

5.11 Cwestiynau ar Drawsffurfio Graffiau

C1 Dyma graff o y = f(x).

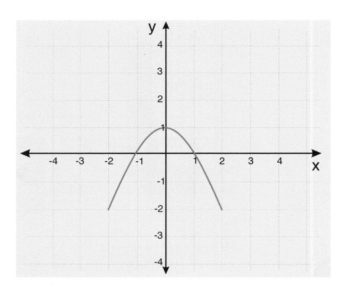

Defnyddiwch graff y = f(x) i wneud braslun o'r canlynol:

a) y = f(x) + 3
b) y = f(x) − 3
c) y = f(x + 3)
d) y = f(x − 3)
e) y = −f(x)
f) y = f(2x)
g) y = f($\frac{1}{2}$x)
h) y = −f(2x)

Mae'n rhaid i chi ddysgu am y <u>symudiadau</u> a'r <u>ymestyniadau</u> yma - <u>dim ond 4</u> ohonynt sydd, felly fydd hi ddim yn cymryd llawer o amser. Os na fyddwch yn dysgu'r rhain, bydd yn rhaid i chi un ai dreulio amser hir yn cyfrifo'r ateb neu bydd yn rhaid i chi ddyfalu. Byddai hynny'n gryn wastraff o amser a marciau.

C2 Dyma graff y = f(x).

Defnyddiwch graff y = f(x) i fraslunio'r canlynol:

a) y = f(x) + 2
b) y = f(x) − 2
c) y = f(x + 2)
d) y = f(x − 2)
e) y = −f(x)
f) y = f(2x)
g) y = f($\frac{1}{2}$x)
h) y = f(x + 3) − 1
i) y = f(x − 1) + 3

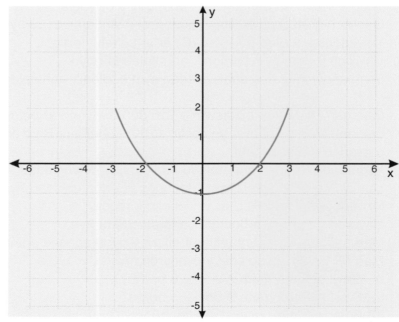

5.11 Cwestiynau ar Drawsffurfio Graffiau

C3 Dyma graff y = sin(x)

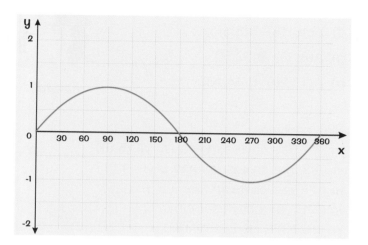

Lluniwch graff y canlynol:
a) y = 2sin(x)
b) y = sin(2x).

C4 Dyma graff y = cos(x)

Lluniwch graff y canlynol:
a) y = 2cos(x)
b) y = cos(2x).

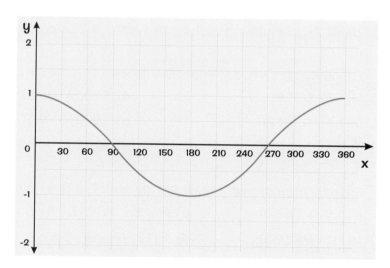

C5 Dyma graff Y = f(X)
Gwnewch fraslun o graffiau'r canlynol:

a) Y = f(X) + 1
b) Y = –f(X)
c) Y = f(X + 1)
d) Y = f($\frac{1}{2}$X)
e) Y = f(2X)
f) Y = 2f(X)
g) Y = f(X + 1) – 2.

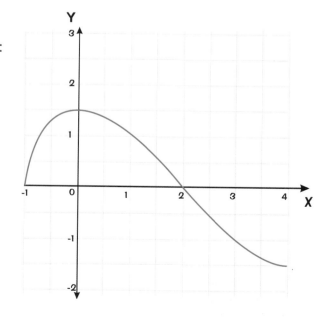

Dyna ni – dyna ddiwedd y gwaith ar graffiau.

5.12 Cwestiynau ar Ddefnyddio Cyfesurynnau

C1 Darganfyddwch ganolbwynt y llinell AB, lle mae A a B â'r cyfesurynnau:

a) A(2,3) B(4,5)

b) A(1,8) B(10,2)

c) A(0,11) B(11,11)

d) A(3,15) B(14,3)

e) A(6,7) B(0,0)

f) A(16,16) B(3,3)

g) A(8,33) B(32,50)

h) A(17,28) B(44,13)

hawdd...

C2 Darganfyddwch ganolbwyntiau'r llinellau canlynol:

a) Llinell PQ, lle mae cyfesurynnau P yn (−1,5) a chyfesurynnau Q yn (5,6).

b) Llinell AB, lle mae cyfesurynnau A yn (−3,3) a chyfesurynnau B yn (4,0).

c) Llinell RS, lle mae cyfesurynnau R yn (4,−5) a chyfesurynnau S yn (0,0).

d) Llinell PQ, lle mae cyfesurynnau P yn (−1,−3) a chyfesurynnau Q yn (3,1).

e) Llinell GH, lle mae cyfesurynnau G yn (10,13) a chyfesurynnau H yn (−6,−7).

f) Llinell CD, lle mae cyfesurynnau C yn (−4,6) a chyfesurynnau D yn (12,−7).

g) Llinell MN, lle mae cyfesurynnau M yn (−5,−8) a chyfesurynnau N yn (−21,−17).

h) Llinell AB, lle mae cyfesurynnau A yn (−1,0) a chyfesurynnau B yn (−9,−14).

C3 Darganfyddwch hyd y llinell MN, lle mae M ac N â'r cyfesurynnau:

a) M(6,3) N(2,8)

b) M(1,5) N(8,12)

c) M(0,1) N(7,3)

d) M(9,5) N(4,8)

e) M(10,4) N(10,0)

f) M(12,6) N(13,0)

C4 Darganfyddwch hyd y llinell PQ, lle mae P a Q â'r cyfesurynnau:

a) P(2,−3) Q(3,0)

b) P(1,−8) Q(4,3)

c) P(0,−1) Q(2,−3)

d) P(1,−4) Q(−2,7)

e) P(−6,−1) Q(7,−9)

f) P(12,−3) Q(−5,5)

g) P(−10,−2) Q(−2,−8)

h) P(−5,2) Q(2,−5)

Mae ychydig o rifau negatif yma ond nid ydynt ddim anoddach.

C5 Ar gyfer pob llinell ar y graff, darganfyddwch:

(i) y canolbwynt

(ii) yr hyd.

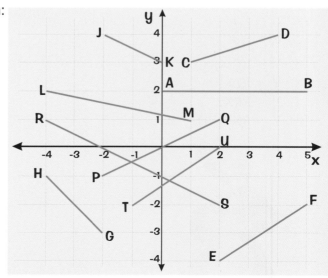

6.1   Cwestiynau ar Waith Sylfaenol

C1   Cyfrifwch y newidiadau canlynol mewn tymheredd:

  a) 20°C i -7°C   **c)** -17°C i -5 °C   **e)** -31°C i -16°C

  b) -10°C i -32°C   **d)** -3°C i 15°C   **f)** -5°C i -17°C

C2   Pa un yw'r mwyaf o'r rhain a beth yw'r gwahaniaeth?

  a) -12 +7 − 4 + 6 − 2 + 7   ynteu   **b)** -30 + 26 − 3 − 7+17

C3   Ganwyd milwr Rhufeinig yn 17 CC a bu farw yn 29 OC. Faint oedd ei oed pan fu farw?

C4   Symleiddiwch y canlynol: **a)** $4x - 5x + 3x - x + 2x - 7x$ **b)** $30y - 10y + 2y - 3y + 4y - 5y$

C5   Darganfyddwch werth xy ac $\frac{x}{y}$ ym mhob un o'r canlynol:

  a) x = -100   y = 10   **c)**   x = -48   y = -3

  b) x = 24   y = -4   **d)**   x = 0   y = -4

C6   Darganfyddwch werth $(a - b) \div (c + d)$ pan yw a = 10, b = -26, c = -5 a d = -4.

C7   Symleiddiwch y canlynol:

  a) $2x \times -3y$ **d)** $4p \times -4p$ **g)** $10x \div -2y$ **j)** $70x^2 \div -7x^2$

  b) $-8a \times 2b$ **e)** $-30x \div -3y$ **h)** $-30x \div -10x$ **k)** $-36x^2 \div -9x$

  c) $-4x \times -2x$ **f)** $50x \div -5y$ **i)** $40ab \div -10ab$ **l)** $40y^2 \div -5y$

C8   Gan ddefnyddio'r ffaith fod $a^2 - b^2 = (a + b)(a - b)$, ffactoriwch y mynegiadau canlynol:

  a) $x^2 - 9$ **d)** $36 - a^2$ **g)** $25 - 16z^2$ **j)** $x^4 - y^4$

  b) $y^2 - 16$ **e)** $4x^2 - 9$ **h)** $1 - 36a^2$ **k)** $1 - (ab)^2$

  c) $25 - z^2$ **f)** $9y^2 - 4$ **i)** $x^4 - 36$ **l)** $100 x^2 - 144y^2$

C9   Symleiddiwch y canlynol drwy gasglu termau tebyg at ei gilydd:

  a) $3x^2 + 4x + 12x^2 - 5x$ **f)** $15ab - 10a + b - 7a + 2ba$

  b) $14x^2 - 10x - x^2 + 5x$ **g)** $4pq - 14p - 8q + p - q + 8p$

  c) $12 - 4x^2 + 10x - 3x^2 + 2x$ **h)** $13x^2 + 4x^2 - 5y^2 + y^2 - x^2$

  d) $20abc + 12ab + 10bac + 4bc$ **i)** $11ab + 2cd - ba - 13dc + abc$

  e) $8pq + 7p + q + 10qp - q + p$ **j)** $3x^2 + 4xy + 2y^2 - z^2 + 2xy - y^2 - 5x^2$

C10   Lluoswch y cromfachau a symleiddiwch os yw'n bosibl:

  a) $4(x + y - z)$ **h)** $14(2m - n) + 2(3n - 6m)$ **o)** $x^2(x + 1)$

  b) $x(x + 5)$ **i)** $4x(x + 2) - 2x(3 - x)$

  c) $-3(x - 2)$ **j)** $3(2 + ab) + 5(1 - ab)$ **p)** $4x^2(x+2+\frac{1}{x})$

  d) $7(a + b) + 2(a + b)$ **k)** $(x - 2y)z - 2x(x +z)$

  e) $3(a + 2b) - 2(2a + b)$ **l)** $4(x - 2y) - (5 + x - 2y)$ **q)** $8ab(a + 3 + b)$

  f) $4(x - 2) - 2(x - 1)$ **m)** $a - 4(a + b)$

  g) $4e(e +2f) + 2f(e - f)$ **n)** $4 pq(2 + r) + 5qr(2p + 7)$ **r)** $7pq(p+q-\frac{1}{p})$

                                                           s) $4\left[(x+y)-3(y-x)\right]$

C11   Ar gyfer pob un o'r petryalau mawr isod, ysgrifennwch arwynebedd pob un o'r petryalau bychain a thrwy hyn darganfyddwch fynegiad ar gyfer arwynebedd pob petryal mawr.

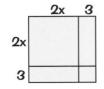
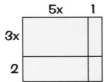

Digon o gwestiynau i'ch cadw'n brysur!

6.1   *Cwestiynau ar Waith Sylfaenol*

Cofiwch bod 4 term, cyn symleiddio.

C12   Lluoswch y cromfachau a symleiddiwch eich atebion os yw'n bosibl:

a) $(x - 3)(x + 1)$ **e)** $(x + 2)(x - 7)$ **i)** $(x - 3)(4x + 1)$

b) $(x - 3)(x + 5)$ **f)** $(4 - x)(7 - x)$ **j)** $2(2x + y)(x - 2y)$

c) $(x + 10)(x + 3)$ **g)** $(2 + 3x)(3x - 1)$ **k)** $4(x + 2y)(3x - 2y)$

d) $(x - 5)(x - 2)$ **h)** $(3x + 2)(2x - 4)$ **l)** $(3x + 2y)^2$

C13   Beth yw lluoswm $5x - 2$ a $3x + 2$?

C14   Beth yw sgwâr $2x - 1$?

C15   Mae hyd pwll petryalog yn $(3x - 2)$m a'i led yn $(5 - x)$m. Ysgrifennwch fynegiad wedi ei symleiddio ar gyfer: **a)** perimedr y pwll   **b)** arwynebedd y pwll.

C16   Mae bar siocled petryalog yn cynnwys 20 darn bach petryalog. Mae maint darn bach petryalog yn 2cm wrth xcm.

a) Ysgrifennwch fynegiad ar gyfer perimedr y bar cyfan.

b) Ysgrifennwch fynegiad ar gyfer arwynebedd y bar cyfan.

c) Os ydw i'n bwyta 6 darn bach petryalog o siocled, beth fydd arwynebedd y darn fydd ar ôl?

C17   Darganfyddwch fynegiad wedi ei symleiddio ar gyfer perimedr ac arwynebedd y siapiau canlynol.

a)   **b)**   **c)**   **d)**

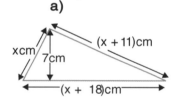 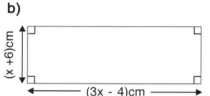 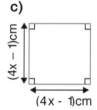 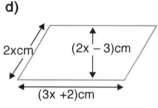

C18   Yn yr holl fynegiadau isod mae a^2 yn ffactor cyffredin. Ffactoriwch bob un ohonynt.

a) $a^2b + a^2c$ **d)** $a^3 + a^2y$

b) $5a^2 + 13a^2b$ **e)** $2a^2x + 3a^2y + 4a^2z$

c) $2a^2b + 3a^2c$ **f)** $a^2b^2 + a^3c^2$

C19   Ym mhob un o'r termau isod mae $4xyz$ yn ffactor cyffredin. Ffactoriwch bob un ohonynt.

a) $4xyz + 8xyz$ **b)** $8xyz + 12xyz$ **c)** $8xyz + 16 x^2yz$ **d)** $20 x^2y^2z^2 + 16 xyz^2$

C20   Ffactoriwch y canlynol:

a) $16x - 28$ **d)** $x^2 + 4x^2 + 2x$ **g)** $p^3 + p^4$

b) $4^2 - 14y$ **e)** $8b^3 + 16y^2 + 32t + 8$ **h)** $2ab^2 - 6a^2b^2 + 18abc$

c) $3q^2 - 12q$ **f)** $x^2y^2 - 3xy$ **i)** $xy - y^2x + x^2y + x^2y^2$

C21   Ffactoriwch y canlynol:

a) $7a^2bc^2 + 14ab^2c + 21ab^2c^2 + 28a^2b^2c^2$

b) $100x^2yz + 90x^3yz + 80x^2y^2z + 70x^2yz + 60x^2yz^2$

Mae'r un olaf yma'n edrych braidd yn anodd. Beth am luosi'r cromfachau?

C22   Ffactoriwch y canlynol:

a) $x^2 - 4$ **b)** $144 - y^4$ **c)** $1 - 9x^2y^2$ **d)** $49x^4y^4 - 1$

6.2 *Cwestiynau ar Ffracsiynau Algebraidd*

Y tric wrth wneud <u>ffracsiynau algebraidd</u> yw cofio sut i wneud <u>ffracsiynau arferol</u> - gan eu bod <u>yn union yr un fath</u> ... gallwch weld yn syth os oes x ar y top <u>a'r</u> gwaelod, felly maen debyg fod y rhain hyd yn oed yn haws ...

C1 Symleiddiwch y canlynol drwy ganslo os yw'n bosibl:

a) $\dfrac{27x^4y^2z}{9x^3yz^2}$

b) $\dfrac{48a^2b^2}{(2a)^2c}$

c) $\dfrac{3xyz}{9x^2y^3z^4}$

d) $\dfrac{4p^3q^3}{(2pr)^3}$

C2 Lluoswch y rhain, gan adael eich ateb mor syml ag sydd bosibl:

a) $\dfrac{x^2}{y} \times \dfrac{2}{x^3}$

b) $\dfrac{3a^4}{2} \times \dfrac{b}{a^2}$

c) $\dfrac{2x}{y^2} \times \dfrac{y^3}{4x^3}$

d) $\dfrac{3pq}{2} \times \dfrac{4r^2}{9p}$

e) $\dfrac{10z^3}{xy} \times \dfrac{4x^3}{5z}$

f) $\dfrac{30a^2b^2c^2}{7} \times \dfrac{21c^2}{ab^3}$

g) $\dfrac{4}{x} \times \dfrac{x^3}{2} \times \dfrac{x}{10}$

h) $\dfrac{2a^2}{3} \times \dfrac{9b}{a} \times \dfrac{2a^2b}{5}$

i) $\dfrac{5a^2b}{b} \times \dfrac{3a^2c^3}{10bd}$

j) $\dfrac{p^2}{pq^2} \times \dfrac{q^2}{p}$

k) $\dfrac{90r^2}{14t} \times \dfrac{7t^3}{30r}$

l) $\dfrac{400d^4}{51e^5} \times \dfrac{102d^2e^4}{800e^2f}$

C3 Rhannwch y canlynol, gan adael eich ateb mor syml ag sydd bosibl:

a) $\dfrac{4x^3}{y} \div \dfrac{2x}{y^2}$

b) $\dfrac{ab}{c} \div \dfrac{b}{c}$

c) $\dfrac{30x^3}{y^2} \div \dfrac{10x}{y}$

d) $\dfrac{pq}{r} \div \dfrac{2}{r}$

e) $\dfrac{e^2f^2}{5} \div \dfrac{ef}{10}$

f) $\dfrac{5x^3}{y} \div \dfrac{1}{y}$

g) $\dfrac{16xyz}{3} \div \dfrac{4x^2}{9}$

h) $\dfrac{20a^3}{b^3} \div \dfrac{5}{b^2}$

i) $\dfrac{25a^3}{b^3} \div \dfrac{5}{b^2}$

j) $\dfrac{4x}{y^4z^4} \div \dfrac{2}{y^2z^3}$

k) $\dfrac{3m}{2n^2} \div \dfrac{m}{4n}$

l) $\dfrac{70f^3}{g} \div \dfrac{10f^4}{g^2}$

C4 Datryswch yr hafaliadau canlynol ar gyfer x:

a) $\dfrac{20x^4y^2z^3}{7xy^5} \times \dfrac{14y^3}{40x^2z^3} = 5$

b) $\dfrac{48x^5y^2}{12z^3} \div \dfrac{16x^2y^2}{z^3} = 2$

6.2 Cwestiynau ar Ffracsiynau Algebraidd

Rhaid dweud fod pethau yn cymhlethu yma. Mae'n rhaid i chi drawsluosi i gael enwadur cyffredin cyn gallu adio neu dynnu.

C5 Adiwch y canlynol a symleiddiwch eich atebion:

a) $\dfrac{3}{2x} + \dfrac{y}{2x}$

b) $\dfrac{1}{x} + \dfrac{y}{x}$

c) $\dfrac{4xy}{3z} + \dfrac{2xy}{3z}$

d) $\dfrac{(4x+2)}{3} + \dfrac{(2x-1)}{3}$

e) $\dfrac{5x+2}{x} + \dfrac{2x+4}{x}$

f) $\dfrac{6x}{3} + \dfrac{2x+y}{6}$

g) $\dfrac{x}{8} + \dfrac{2+y}{24}$

h) $\dfrac{x}{10} + \dfrac{y-1}{5}$

i) $\dfrac{2x}{3} + \dfrac{2x}{4}$

j) $\dfrac{x}{6} + \dfrac{5x}{7}$

k) $\dfrac{x}{3} + \dfrac{x}{y}$

l) $\dfrac{zx}{4} + \dfrac{z+x}{y}$

C6 Tynnwch y canlynol, gan symleiddio eich atebion gymaint ag sydd bosibl:

a) $\dfrac{4x}{3} - \dfrac{5y}{3}$

b) $\dfrac{4x+3}{y} - \dfrac{4}{y}$

c) $\dfrac{(8x+3y)}{2x} - \dfrac{(4x+2)}{2x}$

d) $\dfrac{(9-5x)}{3x} - \dfrac{(3+x)}{3x}$

e) $\dfrac{10+x^2}{4x} - \dfrac{x^2+11}{4x}$

f) $\dfrac{2x}{3} - \dfrac{y}{6}$

g) $\dfrac{z}{5} - \dfrac{2z}{15}$

h) $\dfrac{4m}{n} - \dfrac{m}{3}$

i) $\dfrac{2b}{a} - \dfrac{b}{7}$

j) $\dfrac{(p+q)}{2} - \dfrac{3p}{5}$

k) $\dfrac{p-2q}{4} - \dfrac{2p+q}{2}$

l) $\dfrac{3x}{y} - \dfrac{4-x}{3}$

C7 Symleiddiwch y canlynol:

a) $\left(\dfrac{a}{b} \div \dfrac{c}{d}\right) \times \dfrac{ac}{bd}$

b) $\dfrac{x^2+xy}{x} \times \dfrac{z}{xz+yz}$

c) $\dfrac{(p+q)}{r} \times \dfrac{3}{2(p+q)}$

d) $\dfrac{m^2n}{p} + \dfrac{mn}{p^2}$

e) $\dfrac{1}{x+y} + \dfrac{1}{x-y}$

f) $\dfrac{2}{x} - \dfrac{3}{2x} + \dfrac{4}{3x}$

g) $\dfrac{a+b}{a-b} + \dfrac{a-b}{a+b}$

h) $\dfrac{1}{4pq} \div \dfrac{1}{3pq}$

i) $\dfrac{x}{8} - \dfrac{x+y}{4} + \dfrac{x-y}{2}$

6.3   *Cwestiynau ar Ddatrys Hafaliadau*

C1   Os yw 1 yn cael ei adio at rif a'r ateb yn cael ei dreblu, mae'n rhoi'r un canlyniad â dyblu'r rhif ac yna adio 4. Beth yw'r rhif?

C2   Datryswch y canlynol:

   a) $2x^2 = 18$ **b)** $2x^2 = 72$ **c)** $3x^2 = 27$ **d)** $4x^2 = 36$ **e)** $5x^2 = 5$

C3   Datryswch y canlynol:

   a) $3x + 1 = 2x + 6$ **c)** $5x - 1 = 3x + 19$ **e)** $x + 15 = 4x$

   b) $4x + 3 = 3x + 7$ **d)** $\frac{1}{2}x + 2 = x - 1$ **f)** $3x^2 + 3 = 2x^2 + 12$

C4

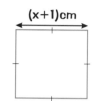
(x+1)cm

Mae hydoedd sgwâr yn $(x + 1)$cm. Beth yw gwerth x os yw:

   a) perimedr y sgwâr yn 66cm?

   b) perimedr y sgwâr yn 152.8cm?

C5   Datryswch y canlynol:

   a) $3x - 8 = 7$ **d)** $2x - 9 = 25$ **f)** $5x - 2 = 6x - 7$

   b) $2(x - 3) = -2$

   c) $4(2x - 1) = 60$ **e)** $\frac{24}{x} + 2 = 6$ **g)** $30 - \frac{x^2}{2} = 28$

C6   Mae Mair yn x mlwydd oed. Mae tad Mair 4 gwaith yn hŷn na hi. Mae ei mam saith mlynedd yn iau na'i thad. Os yw oed y tri ohonynt yn adio i 101, beth yw gwerth x? Darganfyddwch oedran rhieni Mair.

C7   Anfonodd Mr Smith ei gar i'r modurdy lleol. Gwariodd £x ar rannau newydd, gwariodd bedair gwaith hyn ar lafur ac yn olaf gwariodd £29 ar brawf MOT. Os oedd cyfanswm y bil yn £106.50, darganfyddwch werth x.

C8   Datryswch y canlynol:

   a) $2(x - 3) - (x - 2) = 5$ **g)** $\frac{x}{3} + 7 = 12$ **j)** $41 - \frac{x}{11} = 35$

   b) $5(x + 2) - 3(x - 5) = 29$

   c) $2(x + 2) + 3(x + 4) = 31$

   d) $10(x + 3) - 4(x - 2) = 7(x + 5)$ **h)** $\frac{x}{10} + 18 = 29$ **k)** $\frac{x}{100} - 3 = 4$

   e) $5(4x + 3) = 4(7x - 5) + 3(9 - 2x)$

   f) $3(7 + 2x) + 2(1 - x) = 19$ **i)** $17 - \frac{x^2}{3} = 5$ **l)** $\frac{120}{x} = 16$

C9   Mae Joan, Catrin a Linda yn ennill £2,400 rhyngddynt ar y Loteri Genedlaethol. Mae Joan yn cael cyfran o £x, tra bod Catrin yn cael dwywaith cymaint â Joan. Mae cyfran Linda £232 yn llai na'r swm y mae Joan yn ei gael.

   a) Ysgrifennwch hafaliad ar gyfer y cyfrannau mae Joan, Catrin a Linda yn eu hennill.

   b) Ysgrifennwch hafaliad yn nhermau x, a'i ddatrys.

   c) Ysgrifennwch y symiau mae Catrin a Linda yn eu derbyn.

C10   Mae pob ongl yn y diagram yn ongl sgwâr.

   a) Ysgrifennwch hafaliad ar gyfer perimedr y siâp.

   b) Ysgrifennwch hafaliad ar gyfer arwynebedd y siâp.

   c) Beth yw gwerth x pan yw gwerth y perimedr a'r arwynebedd yn hafal?

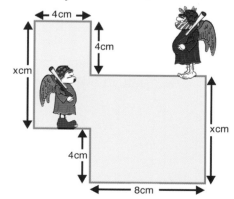

6.3   Cwestiynau ar Ddatrys Hafaliadau

C11   Datryswch y canlynol:

a) $5(x - 1) + 3(x - 4) = -11$

c) $\dfrac{3x}{2} + 3 = x$

e) $\dfrac{5x + 7}{9} = 3$

b) $3(x + 2) + 2(x - 4) = x - 3(x + 3)$

d) $3(4x + 2) = 2(2x - 1)$

f) $\dfrac{2x + 7}{11} = 3$

C12   Mae dau ddyn yn peintio ystafell. Mae un ohonynt wedi peintio 20m² a'r llall wedi peintio 6m² yn unig. Maen nhw'n dal ati i weithio ac yn llwyddo i beintio xm² yr un eto. Os yw'r dyn cyntaf wedi peintio union deirgwaith yr arwynebedd a beintiodd yr ail ddyn, darganfyddwch werth x.

Mae'n ddigon hawdd. Rydych yn gosod y 2 ran gyda'i gilydd er mwyn cael yr hafaliad. Yna'r cwbl sydd raid ei wneud yw ei ddatrys.

C13   Beth yw gwerth x pan yw'r mynegiad $14 - \dfrac{x}{2}$ yn hafal i'r gwerth $\dfrac{3x - 4}{2}$?

C14   Roedd tad Carol yn 24 oed pan anwyd Carol. Nawr mae o bedair gwaith yn hŷn na hi. Faint yw oed Carol?

C15   Mae Mr Jones 4 blynedd yn hŷn na'i wraig a 31 o flynyddoedd yn hŷn na'i fab. Mae cyfanswm eu hoedran yn 82. Os yw Mr Jones yn x oed, darganfyddwch werth x a darganfyddwch oedran ei wraig a'i fab.

C16   Datryswch y canlynol:

a) $\dfrac{y}{2} + 2 = 13$

d) $\dfrac{1}{5}(x - 4) = 3$

g) $\dfrac{8}{x^2} = \dfrac{32}{36}$

b) $\dfrac{3x}{4} - 2 = 4$

e) $\dfrac{2}{3}(x + 1) = 16$

h) $\dfrac{12}{5x^2} = \dfrac{3}{20}$

c) $\dfrac{2z}{5} - 3 = -5$

f) $\dfrac{3}{5}(4x - 3) = 15$

i) $\dfrac{14}{3x^2} = \dfrac{2}{21}$

C17   Mae trên yn teithio ar fuanedd o 70mya am x awr ac yna ar fuanedd o 80mya am $(\dfrac{x}{2} + 3)$ awr.

Os yw'r trên yn teithio ar hyd 405 milltir o drac, darganfyddwch werth x.

C18   Datryswch y canlynol:

a) $\dfrac{4x + 3}{2} + x = \dfrac{5x + 41}{4}$

b) $\dfrac{5}{7}(x-2) - \dfrac{3}{4}(x+3) = -4$

C19   Yn y diagram isod dangosir hydoedd triongl. Darganfyddwch hyd pob ochr, os yw hyd AC $\frac{1}{2}$cm yn hwy na hyd AB.

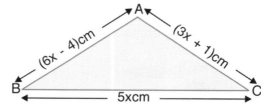

6.4   Cwestiynau ar Aildrefnu Fformiwlâu

Aildrefnu yw cael y llythyren rydych chi ei heisiau o fformiwla a'i gwneud yn destun.
Dyma'r union ddull a ddefnyddir wrth ddatrys hafaliadau.

C1   Aildrefnwch y fformiwlâu canlynol gan wneud y llythyren mewn cromfachau yn destun newydd.

a) $g = 10 - 4h$ (h)   **e)** $f = \dfrac{3g}{8}$ (g)

b) $d = \frac{1}{2}(c + 4)$ (c)   **f)** $y = \dfrac{x}{2} - 3$ (x)

c) $j = -2(3 - k)$ (k)   **g)** $s = \dfrac{t}{6} + 10$ (t)

d) $a = \dfrac{2b}{3}$ (b)   **h)** $p = 4q^2$ (q)

C2   Mae gwerthwr ceir yn cael cyflog o £w am weithio am m o fisoedd a gwerthu c o geir, lle mae
$$W = 500m + 50c$$
a) Aildrefnwch y fformiwla gan wneud c yn destun.
b) Darganfyddwch faint o geir mae'r gwerthwr yn eu gwerthu mewn 11 mis os yw'n ennill £12,100 yn ystod yr amser hwnnw.

C3   Mae cost llogi car yn £28 y dydd a 25c y filltir.
a) Beth yw cost llogi'r car a theithio:
   i)   40 milltir?
   ii) 80 milltir?

b) Ysgrifennwch fformiwla sy'n rhoi cost llogi car (£) am un diwrnod, a theithio n milltir.
c) Aildrefnwch y fformiwla gan wneud n yn destun.
d) Sawl milltir allwch chi deithio mewn un diwrnod os oes gennych gyllideb o
   i) £34,   **ii)** £50,   **iii)** £56.50?

C4   Aildrefnwch y fformiwlâu canlynol gan wneud y llythyren mewn cromfachau yn destun newydd.

a) $y = x^2 - 2$ (x)   **d)** $f = \dfrac{10+g}{3}$ (g)   **g)** $v^2 = u^2 + 2as$ (a)

b) $y = \sqrt{(x + 3)}$ (x)   **e)** $w = \dfrac{5-z}{2}$ (z)   **h)** $v^2 = u^2 + 2as$ (u)

c) $r = \left(\dfrac{s}{2}\right)^2$ (s)   **f)** $v = \frac{1}{3}x^2h$ (x)   **i)** $t = 2\pi\sqrt{\dfrac{l}{g}}$ (g)

C5   Mae Mrs Smith yn prynu x o siwmperi am £S yr un ac yn eu gwerthu yn ei siop am bris cyfansymiol o £C.
a) Ysgrifennwch fynegiad ar gyfer yr arian a dalodd hi am yr holl siwmperi.
b) Defnyddiwch eich ateb i **a)** i ysgrifennu fformiwla ar gyfer yr elw £E mae Mrs Smith yn ei wneud wrth werthu'r siwmperi i gyd.
c) Aildrefnwch y fformiwla gan wneud S yn destun.
d) O wybod bod Mrs Smith yn gwneud elw o £156 wrth werthu 13 o siwmperi am gyfanswm o £364, darganfyddwch beth oedd y pris gwreiddiol a dalodd hi am bob siwmper.

6.4   Cwestiynau ar Aildrefnu Fformiwlâu

C6   Mae cost datblygu ffilm yn 12c am bob llun a 60c am gludiad.

     a) Ewch ati i ddarganfod cost datblygu ffilm sy'n cynnwys:
         i) 12 o luniau
         ii) 24 o luniau.

     b) Ysgrifennwch fformiwla ar gyfer cost C, mewn ceiniogau, datblygu x o luniau.
     c) Aildrefnwch y fformiwla gan wneud x yn destun.
     d) Darganfyddwch faint o luniau a ddatblygwyd os yw cwsmer yn talu'r symiau canlynol:
         i) £4.92
         ii) £6.36
         iii) £12.12.

C7   Aildrefnwch y fformiwlâu canlynol, drwy gasglu termau x a chwilio am ffactorau cyffredin, er mwyn gwneud x yn destun newydd.

     a) $xy = z - 2x$ **e)** $xy = xz - 2$

     b) $ax = 3x + b$ **f)** $2(x-y) = z(x + 3)$

     c) $4x - y = xz$ **g)** $xyz = x - y - wz$

     d) $xy = 3z - 5x + y$ **h)** $3y(x + z) = y(2z - x)$

C8   Aildrefnwch y canlynol gan wneud y llythyren mewn cromfachau yn destun newydd.

     a) $pq = 3p + 4r - 2q$ (p)   **g)** $\sqrt{hk^2 - 14} = k$ (k)

     b) $fg + 2e = 5 - 2g$ (g)   **h)** $2\sqrt{x} + y = z\sqrt{x} + 4$ (x)

     c) $a(b - 2) = c(b + 3)$ (b)   **i)** $\dfrac{a}{b} = \dfrac{1}{3}(b-a)$ (a)

     d) $pq^2 = rq^2 + 4$ (q)   **j)** $\dfrac{m+n}{m-n} = \dfrac{3}{4}$ (m)

     e) $4(a - b) + c(a - 2) = ad$ (a)   **k)** $\sqrt{\dfrac{(d-e)}{e}} = 7$ (e)

     f) $\dfrac{x^2}{3} - y = x^2$ (x)   **l)** $\dfrac{x - 2y}{xy} = 3$ (y)

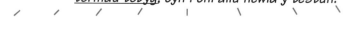
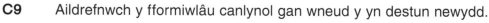

Mae'r rhain yn dechrau mynd yn gymhleth - rhaid i chi <u>gasglu termau tebyg</u>, cyn i chi allu newid y testun.

C9   Aildrefnwch y fformiwlâu canlynol gan wneud y yn destun newydd.

     a) $x(y - 1) = y$ **c)** $x = \dfrac{y^2 + 1}{2y^2 - 1}$

     b) $x(y + 2) = y - 3$ **d)** $x = \dfrac{2y^2 + 1}{3y^2 - 2}$

6.5 *Cwestiynau ar Anhafaleddau*

Dyma enghraifft arall o rywbeth sy'n edrych yn llawer gwaeth nag ydyw mewn gwirionedd. Mae'r rhain yn union yr un fath â hafaliadau, ac eithrio'r symbolau.

C1 Ysgrifennwch yr anhafaledd mae pob un o'r diagramau isod yn ei gynrychioli.

a)
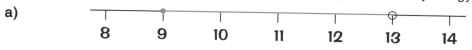

8 9 10 11 12 13 14

b)
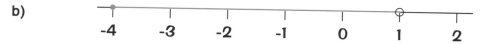

-4 -3 -2 -1 0 1 2

c)
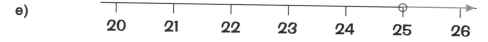

-7 -6 -5 -4 -3 -2 -1

d)
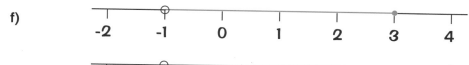

0 1 2 3 4 5 6

e)
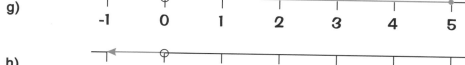

20 21 22 23 24 25 26

f)

-2 -1 0 1 2 3 4

g)

-1 0 1 2 3 4 5

h)

-3 -2 -1 0 1 2 3

C2 Drwy lunio rhan briodol y llinell rif ar gyfer pob cwestiwn, cynrychiolwch bob un o'r anhafaleddau canlynol.

a) $x > 5$
b) $x \leqslant 2$

c) $2 > x > -5$
d) $3 > x \geqslant -2$

e) $3 \geqslant x > -2$
f) $7 \geqslant x > 6$

g) $-3 \leqslant x \leqslant -2$
h) $0 \geqslant x > -3$

C3 Lluniwch a labelwch linell rif o -5 i 5 ar gyfer pob un o'r cwestiynau canlynol. Cynrychiolwch yr anhafaleddau ar eich llinellau rhif.

a) $x^2 \leqslant 4$
b) $x^2 < 1$

c) $x^2 \leqslant 9$
d) $25 \geqslant x^2$

e) $16 \geqslant x^2$
f) $x^2 \leqslant 1$

g) $9 > x^2$
h) $x^2 \leqslant 0$

C4 Datryswch y canlynol:

a) $3x + 2 > 11$
b) $5x + 4 < 24$
c) $5x + 7 \leqslant 32$
d) $3x + 12 \leqslant 30$

e) $2x - 7 \geqslant 8$
f) $17 + 4x < 33$
g) $2(x + 3) < 20$
h) $2(5x - 4) < 32$

i) $5(x + 2) \geqslant 25$
j) $4(x - 1) > 40$
k) $10 - 2x > 4x - 8$
l) $7 - 2x \leqslant 4x + 10$

m) $8 - 3x \geqslant 14$
n) $16 - x < 11$
o) $16 - x > 1$
p) $12 - 3x \leqslant 18$

6.5   *Cwestiynau ar Anhafaleddau*

C5   Mae 1,130 o ddisgyblion mewn ysgol. Ni ellir cael mwy na 32 o ddisgyblion mewn unrhyw ddosbarth. Sawl ystafell ddosbarth y gellir eu defnyddio? Dangoswch yr wybodaeth yma fel anhafaledd.

C6   Mae Iola yn fodlon gwario £300 ar fynd â'i ffrindiau allan i ddathlu. Os yw'r bwyty yn codi £12 y pen, faint o wahoddedigion fydd hi'n bosibl i Iola eu gwahodd? Dangoswch yr wybodaeth yma fel anhafaledd.

C7   Darganfyddwch y cyfanrif mwyaf, x, fel bo $2x + 5 \geqslant 5x - 2$.

C8   Pan fydd rhif yn cael ei dynnu o 11, a'i rannu wedyn â dau, mae'r canlyniad bob amser yn llai na phump. Ysgrifennwch yr wybodaeth yma fel anhafaledd ac ewch ati i'w ddatrys er mwyn dangos gwerthoedd posibl y rhif.

C9   Mae'r rhan sydd wedi ei thywyllu yn bodloni tri anhafaledd. Ysgrifennwch y tri anhafaledd.

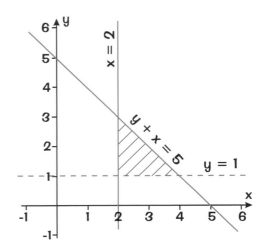

C10   Lluniwch set o echelinau, echelin x o −2 i 6 ac echelin y o −1 i 7. Ar graff, dangoswch y rhan sydd wedi ei hamgáu gan y tri anhafaledd canlynol:

$$y < 6 \quad , \quad x + y \geqslant 5 \quad a \quad x \leqslant 5$$

C11   Lluniwch set o echelinau, echelin x o 0 i 8 ac echelin y o 0 i 10. Ar graff, dangoswch y rhan sydd wedi ei hamgáu gan y tri anhafaledd canlynol:

$$x > 1 \quad , \quad x + y \leqslant 7 \quad a \quad y \geqslant 2$$

C12   Lluniwch set o echelinau, echelin x o −4 i 5 ac echelin y o −3 i 6. Ar graff, dangoswch y rhan sydd wedi ei hamgáu gan y canlynol:

$$y \leqslant 2x + 4 \quad , \quad y < 5 - x \quad a \quad y \geqslant \frac{x}{3} - 1$$

Rydych wedi gweld cwestiynau fel hyn o'r blaen yn Adran 5. Er mwyn cael mwy o ymarfer trowch yn ôl i'r adran honno a rhowch gynnig arall arnynt.

6.6 Cwestiynau ar Gyfraneddau Union a Gwrthdro

C1   Os yw 17 gwerslyfr yn costio £150.45, faint fydd 28 ohonynt yn costio?

C2   Os yw'n cymryd 28 awr i bedwar o bobl gwblhau tasg, faint fydd hi'n ei gymryd i un wneud y gwaith?

C3   Mae gweithiwr yn ennill £6.20 yr awr. Faint mae o'n ennill am $15\frac{1}{2}$ awr o waith?

C4   Mae 2cm yn cynrychioli 3km ar fap.
  a) Mae pellter o 14km rhwng dwy dref. Beth yw'r pellter rhyngddynt ar y map?
  b) Mae pellter o 20.3cm rhwng dwy gyffordd ar y map, beth yw'r pellter sydd rhyngddynt mewn gwirionedd?

C5   Mae y mewn cyfrannedd union ag x. Os yw y = 5 pan yw x yn 25, darganfyddwch y pan yw x yn 100.

C6   Mae y mewn cyfrannedd union ag x. Os yw y yn 1.2 pan yw x yn 2.5, darganfyddwch werth y pan yw x = 3.75.

C7   Os yw y $\propto$ x ac y = 132 pan yw x = 10, darganfyddwch werth y pan yw x = 14.

C8   Os yw y $\propto$ x ac y = 117 pan yw x = 45, darganfyddwch werth x pan yw y = 195.

C9   Cwblhewch y tablau gwerthoedd canlynol lle mae y mewn cyfrannedd union ag x.

a)

x	2	4	6
y	5	10	

b)

x	3	6	9
y		9	

c)

x	27		
y	5	10	15

C10   Os yw y = 3 pan yw x = 8 ac mae y mewn cyfrannedd gwrthdro ag x, darganfyddwch werth y pan yw x = 12.

C11   Os yw y $\propto \frac{1}{x}$ ac x = 4 pan yw y = 5, darganfyddwch werth x pan yw y = 10.

C12   Os yw y ac x yn amrywio yn wrthdro, ac y = 12 pan yw x = 3 darganfyddwch:
  a) werth x pan yw y = 9
  b) werth y pan yw x = 6.

C13   Mae dyn yn teithio am 2 awr ar fuanedd o 72km yr awr, ac yn cwblhau ei daith rhwng dwy dref. Yn y cyfamser, mae dyn arall yn cwblhau'r un daith ar fuanedd o 80km yr awr.
Faint o amser a gymerodd hwn?

C14   O wybod bod y $\propto \frac{1}{x}$, cwblhewch y tabl gwerthoedd yma.

x	1	2	3	4	5	6
y					9.6	

Sicrhewch eich bod yn gwybod y 4 prif ffaith ynghylch Cyfraneddau Union a Gwrthdro:
1) beth sy'n digwydd pan fydd un newidyn yn cynyddu
2) y graff
3) y tabl gwerthoedd a
4) pa un ai'r gymhareb neu'r lluoswm sydd yr un fath ar gyfer yr holl werthoedd.

6.6 Cwestiynau ar Gyfraneddau Union a Gwrthdro

C15 Mae arwynebedd cylch mewn cyfranedd â sgwâr y radiws. Os yw'r arwynebedd yn 113cm^2 pan yw'r radiws yn 6cm darganfyddwch:
 a) arwynebedd cylch â radiws 5cm.
 b) radiws cylch ag arwynebedd 29cm^2.
 Rhowch eich atebion yn gywir i 1 lle degol.

C16 Os yw y mewn cyfrannedd gwrthdro â sgwâr x, ac y = 4 pan yw x = 6, darganfyddwch werth y canlynol:
 a) y pan yw x = 3
 b) x pan yw y = 9, o wybod fod x yn negatif.

C17 Os yw y $\propto$ x^2 ac y = 4 pan yw x = 4, darganfyddwch werth y pan yw x = 12.

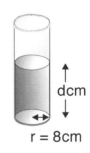

C18 y = kx^3 ac y = 200 pan yw x = 5.
 a) Darganfyddwch werth k.
 b) Darganfyddwch werth y pan yw x = 8.
 c) Darganfyddwch werth x pan yw y = 2433.4

C19 O wybod bod y yn amrywio yn wrthdro â sgwâr x, cwblhewch y tabl gwerthoedd canlynol, o wybod bod x bob amser yn bositif.

x	1	2	5	
y			4	1

x	2			8
y	24	6	2$\frac{2}{3}$	

C20 Mae dau gynhwysydd silindrog yn cael eu llenwi â dŵr, i'r un dyfnder, dcm. Mae màs y dŵr ym mhob cynhwysydd mewn cyfrannedd â sgwâr radiws pob cynhwysydd. Mae radiws y cynhwysydd cyntaf yn 16cm ac mae màs y dŵr yn 16kg. Os yw radiws yr ail gynhwysydd yn 8cm, darganfyddwch beth yw màs y dŵr sydd ynddo.

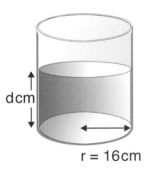

C21 O wybod bod r yn amrywio yn wrthdro gyda sgwâr s, ac r = 24 pan yw s = 10, darganfyddwch werthoedd y canlynol:
 a) r pan yw s = 5
 b) s pan yw r = 150, o wybod bod s yn bositif
 c) r pan yw s = 2
 d) s pan yw r = 37$\frac{1}{2}$, o wybod bod s yn negatif.

Peidiwch ag anghofio'r amrywiad 'sgwâr gwrthdro'. Bydd disgwyl i chi wybod hwn.

C22 Wrth ystyried y gwerthoedd yn y tabl, penderfynwch a yw y $\propto$ x, y $\propto \frac{1}{x}$, y $\propto$ x^2 neu y $\propto \frac{1}{x^2}$.
 a) Ysgrifennwch yr hafaliad sy'n dangos sut mae y yn amrywio mewn perthynas ag x
 b) Darganfyddwch werth y pan yw x = 6.4
 c) Darganfyddwch werth x pan yw y = 16.

x	1.2	2.5	3.2	4.8
y	166$\frac{2}{3}$	80	62.5	41$\frac{2}{3}$

6.7 Cwestiynau ar Ffactorio Hafaliadau Cwadratig

 Byddwch yn ofalus gyda'r rhain!

C1 Ffactoriwch y canlynol:

a) $x^2 + 11x + 24$

b) $x^2 + 15x + 36$

c) $x^2 + 13x + 36$

d) $x^2 + 16x + 48$

e) $x^2 + 14x + 48$

f) $x^2 + 26x + 48$

g) $x^2 + 49x + 48$

h) $x^2 + 19x + 48$

i) $x^2 + 3x$

j) $2x - x^2$

k) $x^2 + 4x$

l) $x^2 - 20x$

m) $x^2 + 10x$

n) $9x + x^2$

o) $x^2 + x - 6$

p) $x^2 - x - 12$

q) $x^2 - 5x + 6$

r) $x^2 - 6x + 8$

s) $x^2 - 11x + 28$

t) $x^2 - 2x - 35$

u) $x^2 - 3x - 40$

v) $x^2 + 10x - 24$

w) $x^2 - 15x + 44$

x) $x^2 - 11x - 26.$

 *Y ffordd orau o wneud y rhain yw trwy ddyfalu. Dewiswch bâr o rifau ac yna ceisiwch eu hadio a'u lluosi.*

Cofiwch, mae'n rhaid iddynt luosi â'i gilydd i roi'r rhif ar y diwedd ac mae'n rhaid iddynt adio â'i gilydd i roi'r term x yn y canol.

C2 Datryswch yr hafaliadau cwadratig canlynol:

a) $(x + 2)(x + 8) = 0$

b) $(3 - x)(4 - x) = 0$

c) $(x + 4)(x + 18) = 0$

d) $(x - 2)(x - 2) = 0$

e) $(x + 3)^2 = 0$

f) $(x - 9)^2 = 0$

g) $(x + 4)^2 = 0$

h) $(x - 25)^2 = 0$

i) $x(x + 4) = 0$

j) $x(x - 7) = 0$

k) $x(x + 30) = 0$

l) $x(x + 2) = 0.$

C3 Ffactoriwch yr hafaliadau cwadratig yn gyntaf, ac yna datryswch yr hafaliadau:

a) $x^2 + 3x - 10 = 0$

b) $x^2 - 5x + 6 = 0$

c) $x^2 - 2x + 1 = 0$

d) $x^2 - 4x + 3 = 0$

e) $x^2 - x - 20 = 0$

f) $x^2 - 4x - 5 = 0$

g) $x^2 + 6x - 7 = 0$

h) $x^2 + 14x + 49 = 0$

i) $x^2 - 2x - 15 = 0.$

C4 Aildrefnwch y canlynol gan eu gosod ar y ffurf "$x^2 + bx + c = 0$", ac yna ewch ati i'w datrys drwy ffactorio:

a) $x^2 + 6x = 16$

b) $x^2 + 5x = 36$

c) $x^2 + 4x = 45$

d) $x^2 = 5x$

e) $x^2 = 11x$

f) $x^2 - 21 = 4x$

g) $x^2 - 300 = 20x$

h) $x^2 + 48 = 26x$

i) $x^2 + 36 = 13x$

j) $x + 5 - \dfrac{14}{x} = 0$

k) $x + 4 - \dfrac{21}{x} = 0$

l) $x(x - 3) = 10$

m) $x^2 - 3(x + 6) = 0$

n) $x - \dfrac{63}{x} = 2$

o) $x + 1 = \dfrac{12}{x}.$

6.7 Cwestiynau ar Ffactorio Hafaliadau Cwadratig

C5 Defnyddiwch "y gwahaniaeth rhwng dau sgwâr" i ddatrys yr hafaliadau cwadratig canlynol:

a) $x^2 - 9 = 0$

c) $4x^2 - 36 = 0$

b) $x^2 - 16 = 0$

d) $9x^2 - 49 = 0$.

C6 a) Pan yw x yn cael ei adio at ei sgwâr, mae'r cyfanswm yn 12. Darganfyddwch werthoedd x.

b) Pan yw y yn cael ei dynnu o'i sgwâr, mae'r cyfanswm yn 12. Darganfyddwch werthoedd y.

C7 Mae arwynebedd pwll nofio petryalog yn 28m².
Mae'r lled yn xm. Mae'r gwahaniaeth rhwng yr hyd a'r lled yn 3m. Beth yw gwerth x?

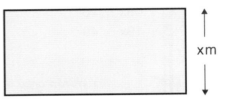

xm

C8 Mae mat yn xm o hyd. Mae lled y mat 1m yn union yn llai na'r hyd.

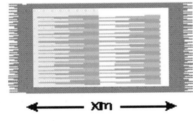

xm

a) Ysgrifennwch fynegiad ar gyfer arwynebedd y mat.

b) Os yw arwynebedd y mat yn 6m² beth yw gwerth x?

C9 Datryswch $x^2 - \dfrac{1}{4} = 0$

C10 Mae uchder triongl yn $(x + 1)$cm a'i sail yn 2xcm.

a) Ysgrifennwch fynegiad ar gyfer arwynebedd y triongl ac ewch ati i'w symleiddio.

b) Os yw arwynebedd y triongl yn 12cm², beth yw gwerth x?

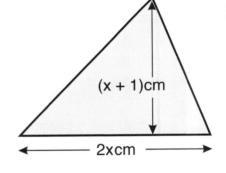

$(x + 1)$cm

2xcm

C11 Mae ochrau ystafell sgwâr yn x metr.
Mae uchder y waliau yn 3m. Ysgrifennwch fynegiad ar gyfer:

a) arwynebedd y llawr

b) arwynebedd y pedair wal.

c) Os yw cyfanswm arwynebedd y llawr a'r pedair wal yn 64m² ffurfiwch hafaliad cwadratig a'i ddatrys i ddarganfod x.

C12 Datryswch $x + 21 = \dfrac{9(x - 3)}{x}$.

Pan gewch chi unrhyw rifau negatif chwiliwch am yr arwyddion a meddyliwch am eich rheolau arwyddion wrth luosi. Bydd hyn yn eich helpu i ddarganfod arwyddion y rhifau yr ydych yn chwilio amdanynt - a bydd hyn yn sicr o arbed amser.

ADRAN CHWECH - ALGEBRA

6.8 Cwestiynau ar Y Fformiwla Gwadratig

C1 Darganfyddwch y ddau werth, i 2 le degol, a roddir gan bob un o'r mynegiadau canlynol:

a) $\dfrac{2 \pm \sqrt{3}}{2}$

b) $\dfrac{4 \pm \sqrt{10}}{3}$

c) $\dfrac{-2 \pm \sqrt{27}}{2}$

d) $\dfrac{-3 \pm \sqrt{42}}{3}$

e) $\dfrac{-10 \pm \sqrt{160}}{5}$

f) $\dfrac{-27 \pm \sqrt{10}}{2}$

g) $\dfrac{-8 \pm \sqrt{9.5}}{2.4}$

h) $\dfrac{10 \pm \sqrt{88.4}}{23.2}$

Cam 1 - ewch ati i ddysgu'r Fformiwla Gwadratig.

C2 Gellir datrys yr hafaliadau cwadratig canlynol drwy ffactorio, ond ewch ati i ymarfer defnyddio'r fformiwla i'w datrys.

a) $x^2 + 8x + 12 = 0$

b) $6x^2 - x - 2 = 0$

c) $x^2 - x - 6 = 0$

d) $x^2 - 3x + 2 = 0$

e) $4x^2 - 15x + 9 = 0$

f) $x^2 - 3x = 0$

g) $36x^2 - 48x + 16 = 0$

h) $3x^2 + 8x = 0$

i) $2x^2 - 7x - 4 = 0$

j) $x^2 + x - 20 = 0$

k) $4x^2 + 8x - 12 = 0$

l) $3x^2 - 11x - 20 = 0$

m) $x + 3 = 2x^2$

n) $5 - 3x - 2x^2 = 0$

o) $1 - 5x + 6x^2 = 0$

p) $3(x^2 + 2x) = 9$

q) $x^2 + 4(x - 3) = 0$

r) $x^2 = 2(4 - x)$

Cam 2 - Gwyliwch yr Arwyddion Minws!

Cam 3 - rhannwch y llinell uchaf i gyd â 2a, nid ei $\frac{1}{2}$ yn unig - a chofiwch mai 2a yw, NID a.

C3 Datryswch yr hafaliadau cwadratig canlynol gan ddefnyddio'r fformiwla. Peidiwch â rhoi eich atebion i fwy na 2 le degol.

a) $x^2 + 3x - 1 = 0$

b) $x^2 - 2x - 6 = 0$

c) $x^2 + x - 1 = 0$

d) $x^2 + 6x + 3 = 0$

e) $x^2 + 5x + 2 = 0$

f) $x^2 - x - 1 = 0$

g) $3x^2 + 10x - 8 = 0$

h) $x^2 + 4x + 2 = 0$

i) $x^2 - 6x - 8 = 0$

j) $x^2 - 14x + 11 = 0$

k) $x^2 + 3x - 5 = 0$

l) $7x^2 - 15x + 6 = 0$

m) $2x^2 + 6x - 3 = 0$

n) $2x^2 - 7x + 4 = 0$

Cam 4 - gwiriwch eich atebion gan eu gosod yn ôl yn y fformiwla.

ADRAN CHWECH - ALGEBRA

6.8　Cwestiynau ar Y Fformiwla Gwadratig

Peidiwch ag anghofio am y rheol pan fyddwch yn lluosi cromfachau...

C4　Aildrefnwch y canlynol ar y ffurf "$ax^2 + bx + c = 0$", ac yna ewch ati i'w datrys gan ddefnyddio'r fformiwla gwadratig. Rhowch eich atebion yn gywir i ddau le degol.

a) $x^2 = 8 - 3x$

b) $(x + 2)^2 - 3 = 0$

c) $3x (x - 1) = 5$

d) $2x (x + 4) = 1$

e) $x^2 = 4(x + 1)$

f) $(2x - 1)^2 = 5$

g) $3x^2 + 2x = 6$

h) $(x + 2)(x + 3) = 5$

i) $(x - 2)(2x - 1) = 3$

j) $2x + \frac{4}{x} = 7$

k) $(x - \frac{1}{2})^2 = \frac{1}{4}$

l) $4x(x - 2) = -3$

Cofiwch am Pythagoras

C5　Yn y diagram dangosir ochrau triongl ongl sgwâr. Defnyddiwch theorem Pythagoras i ffurfio hafaliad cwadratig sy'n cynnwys x ac yna datryswch hi i ddarganfod x.

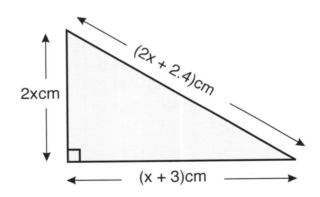

C6　Mae arwynebedd petryal â hyd $(x + 4.6)$cm a lled $(x - 2.1)$cm yn 134.63cm^2.
a) Ffurfiwch hafaliad cwadratig a'i ddatrys i ddarganfod x, i ddau le degol.
b) Beth yw perimedr y petryal, i un lle degol?

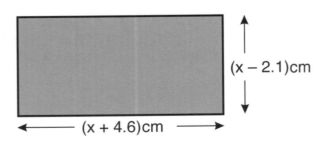

6.9 Cwestiynau ar Gwblhau'r Sgwâr

Y cyfan sydd raid i chi ei wneud yw ei ysgrifennu ar y ffurf "$(x + 4)^2 + 2$" yn hytrach na "$x^2 + 8x + 18$". Peidiwch â gadael i'r enw eich dychryn.

C1 Cwblhewch y sgwâr ar gyfer y mynegiadau canlynol:

a) $x^2 - 4x - 5$

b) $x^2 - 2x + 1$

c) $x^2 + x + 1$

d) $x^2 - 6x + 9$

e) $x^2 - 6x + 7$

f) $x^2 - 4x$

g) $x^2 + 3x - 4$

h) $x^2 - x - 3$

i) $x^2 - 10x + 25$

j) $x^2 - 10x$

k) $x^2 + 8x + 17$

l) $x^2 - 12x + 35$

C2 Datryswch yr hafaliadau cwadratig yma drwy gwblhau'r sgwâr. Ysgrifennwch eich atebion i ddim mwy na 2 le degol.

a) $x^2 + 3x - 1 = 0$

b) $x^2 - x - 3 = 0$

c) $x^2 + 4x - 3 = 0$

d) $x^2 + x - 1 = 0$

e) $x^2 - 3x - 5 = 0$

f) $2x^2 - 6x + 1 = 0$

g) $3x^2 - 3x - 2 = 0$

h) $3x^2 - 6x - 1 = 0$

Mae hon yn ffordd eithaf cyfrwys i ddweud y gwir ... ond rhaid i chi ddod i arfer â hi. Sicrhewch eich bod yn dysgu'r holl gamau ac wedyn ewch ati i ymarfer.

Croesair Algebra

1) Ceir fformiwla ar gyfer y math hwn o hafaliad. (9)

2) Mae'n fath o gyfrannedd. (7)

3) Mae hyn yn mynd law yn llaw â 'gwella'. (6)

4) Mae $2x + 4 = 6$ yn un o'r rhain. (8)

5) Mae $x \leq -6$ yn enghraifft o _____. (9)

6) Ceir y rhain mewn algebra ac yn yr wyddor. (9)

7) Gallwch wneud hyn i hafaliad. (6)

8) Rhoi cromfachau. (8)

9) Mae rhai pethau yn tyfu ac mae pethau eraill yn ..... (6)

10) Dylech aildrefnu'r rhain. (9)

11) Cwblhewch y siâp yma. (5)

6.10   Cwestiynau ar Gynnig a Gwella

C1   Mae gan yr hafaliad ciwbig $x^3 + x = 24$ ddatrysiad sydd rhwng 2 a 3. Copïwch y tabl isod a'i ddefnyddio i ddarganfod y datrysiad yma, i 1 lle degol.

Cynnig (x)	Gwerth $x^3 + x$	Rhy fawr neu Rhy fach
2	$2^3 + 2 =$	
3	$3^3 + 3 =$	

C2   Mae gan yr hafaliad ciwbig $x^3 - x = 34$ ddatrysiad sydd rhwng 3 a 4. Copïwch y tabl isod a'i ddefnyddio i ddarganfod y datrysiad yma, i 1 lle degol.

Cynnig (x)	Gwerth $x^3 - x$	Rhy fawr neu Rhy fach
3	$3^3 - 3 =$	
4	$4^3 - 4 =$	

C3   Mae gan yr hafaliad ciwbig $3x - x^3 = 20$ ddatrysiad sydd rhwng -4 a -3. Copïwch y tabl isod a'i ddefnyddio i ddarganfod y datrysiad yma, i 1 lle degol.

Cynnig (x)	Gwerth $3x - x^3$	Rhy fawr neu Rhy fach
-4	$3(-4) - (-4)^3 = 52$	
-3	$3(-3) - (-3)^3 =$	

C4   Mae gan yr hafaliad ciwbig $2x^3 - x = 40$ ddatrysiad sydd rhwng 2 a 3. Copïwch y tabl isod a'i ddefnyddio i ddarganfod y datrysiad yma, i 1 lle degol.

Cynnig (x)	Gwerth $2x^3 - x$	Rhy fawr neu Rhy fach
2	$2(2)^3 - (2) =$	
3	$2(3)^3 - (3) =$	

Nid ydynt yn rhoi'r rhifau cyntaf i chi bob amser felly os yw hyn yn digwydd sicrhewch eich bod yn dewis dau achos cyferbyniol (un yn rhy fawr a'r llall yn rhy fach) neu byddwch yn sicr o fynd i drafferthion.

ADRAN CHWECH - ALGEBRA

6.10   *Cwestiynau ar Gynnig a Gwella*

C5   Mae gan yr hafaliad ciwbig $x^3 - x^2 = 0.7$ ddatrysiad sydd rhwng 1 a 2. Copïwch y tabl ar y dde a'i ddefnyddio i ddarganfod y datrysiad yma, i 1 lle degol.

Cynnig (x)	Gwerth $x^3 - x^2$	Rhy fawr neu Rhy fach
1	$(1)^3 - (1)^2 =$	
2	$(2)^3 - (2)^2 =$	

C6

Cynnig (x)	Gwerth $x^3 - x^2 + x$	Rhy fawr neu Rhy fach
2	$(2)^3 - (2)^2 + (2) =$	
3	$(3)^3 - (3)^2 + (3) =$	

Mae gan yr hafaliad ciwbig $x^3 - x^2 + x = 7$ ddatrysiad sydd rhwng 2 a 3. Copïwch y tabl ar y chwith a'i ddefnyddio i ddarganfod y datrysiad yma, i 1 lle degol.

C7   Mae gan yr hafaliad ciwbig $2x^3 + x^2 = 50$ ddatrysiad sydd rhwng 2 a 3. Copïwch y tabl ar y dde a'i ddefnyddio i ddarganfod y datrysiad yma, i 1 lle degol.

Cynnig (x)	Gwerth $2x^3 + x^2$	Rhy fawr neu Rhy fach
2	$2(2)^3 + (2)^2 =$	
3	$2(3)^3 + (3)^2 =$	

C8   Mae gan yr hafaliad ciwbig $x^3 + x^2 - 4x = 3$ dri datrysiad. Mae'r datrysiad cyntaf rhwng -3 a -2. Mae'r ail rhwng -1 a 0. Mae'r trydydd rhwng 1 a 2.

Cynnig (x)	Gwerth $x^3 + x^2 - 4x$	Rhy fawr neu Rhy fach
-3	$(-3)^3 + (-3)^2 - 4(-3) = -6$	
-2	$(-2)^3 + (-2)^2 - 4(-2) =$	
-1	$(-1)^3 + (-1)^2 - 4(-1) =$	
0	$(0)^3 + (0)^2 - 4(0) =$	
1	$(1)^3 + (1)^2 - 4(1) =$	
2	$(2)^3 + (2)^2 - 4(2) =$	

Y datrysiad cyntaf yw

.... i 1 lle degol

Yr ail ddatrysiad yw

.... i 1 lle degol

Y trydydd datrysiad yw

.... i 1 lle degol

Mae hyn yn ddigon hawdd!

6.11   *Cwestiynau ar Dwf a Lleihad*

Dyma bwnc arall lle disgwylir i chi ddysgu <u>un fformiwla yn unig a'i defnyddio</u> <u>i ateb pob cwestiwn</u>. Felly ewch ati i ddysgu'r Fformiwla!

C1   Cyfrifwch y swm sydd ym mhob cyfrif :
    a) os buddsoddir £200 am 10 mlynedd yn ôl adlog o 9% y flwyddyn.
    b) os buddsoddir £500 am 3 blynedd yn ôl adlog o 7% y flwyddyn.
    c) os buddsoddir £750 am 30 mis yn ôl adlog o 8% y flwyddyn.
    d) os buddsoddir £1000 am 15 mis yn ôl adlog o 6.5% y flwyddyn.

C2   Mae clwstwr o facteria yn cynyddu yn ôl cyfradd gyfansawdd o 12% yr awr. Yn gyntaf ceir 200 o facteria.
    a) Faint o facteria fydd ar ôl 3 awr?
    b) Faint o facteria fydd ar ôl 1 diwrnod?
    c) Ar ôl faint o oriau fydd yna 4000 o facteria? (defnyddiwch y dull cynnig a gwella i ddatrys hyn)

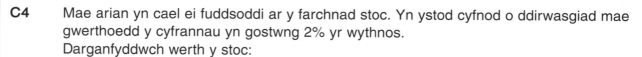

Sicrhewch fod y <u>cynnydd</u> a'r <u>lleihad</u> yn rhai synhwyrol. Gwiriwch fod eich ateb yn swnio fel yr hyn roeddech chi'n ei ddisgwyl - ac os nad ydyw - <u>rhowch gynnig arall arni</u>.

C3   Arsylwyd elfen ymbelydrol bob dydd a mesurwyd y màs oedd ar ôl.
    Ar y cychwyn roedd y màs yn 9kg ond roedd hwn yn lleihau yn ôl cyfradd gyfansawdd o 3% y dydd. Faint o'r elfen ymbelydrol fydd yn weddill ar ôl:
    a) 3 diwrnod
    b) 6 diwrnod
    c) 1 wythnos
    d) 4 wythnos?
    Rhowch eich ateb yn gywir i ddim mwy na 3 lle degol.

C4   Mae arian yn cael ei fuddsoddi ar y farchnad stoc. Yn ystod cyfnod o ddirwasgiad mae gwerthoedd y cyfrannau yn gostwng 2% yr wythnos.
    Darganfyddwch werth y stoc:
    a) os cafodd £2000 ei fuddsoddi am bythefnos.
    b) os cafodd £30,000 ei fuddsoddi am fis.
    c) os cafodd £500 ei fuddsoddi am 7 wythnos.
    d) os cafodd £100,000 ei fuddsoddi am flwyddyn.

C5   Mae Mrs Smith yn penderfynu buddsoddi £7000 mewn cyfrif cynilo. Mae ganddi'r dewis o roi'r arian i gyd mewn cyfrif sy'n talu 5% o adlog y flwyddyn neu gall roi hanner ei buddsoddiad mewn cyfrif cyfredol sy'n talu 6% o adlog y flwyddyn a'r hanner arall mewn cyfrif cyfredol parod sy'n talu 4% y flwyddyn.
    Pe byddai hi'n gadael y buddsoddiad am 3 blynedd, pa un fyddai'r opsiwn gorau ac o faint?

6.11   *Cwestiynau ar Dwf a Lleihad*

C6   Mae actifedd radio-isotop yn lleihau yn ôl cyfradd gyfansawdd o 9% yr awr. Os yw'r actifedd cychwynnol yn 1100 cyfrif y funud, beth fydd ar ôl:

    a) 2 awr

    b) 4 awr

    c) 1 diwrnod

    d) Yn ddiweddarach, mae actifedd yr un radio-isotop yn 65 cyfrif y funud. Gan ddefnyddio'r dull cynnig a gwella, amcangyfrifwch faint o amser sydd wedi mynd heibio ers i 1100 cyfrifiad y funud gael ei gofnodi.

C7   Amcangyfrifir fod gwerth car yn dibrisio yn ôl cyfradd o 14% y flwyddyn. Darganfyddwch amcangyfrif o werthoedd y ceir canlynol:

    a) Peugeot 206 oedd yn costio £8,495 chwe mis yn ôl.

    b) BMW oedd yn costio £34,000 ddeunaw mis yn ôl.

    c) Volvo S40 oedd yn costio £13,495 ddwy flynedd yn ôl.

    d) Vauxhall Vectra oedd yn costio £14,395 ddwy flynedd yn ôl.

    e) Ford Escort oedd yn costio £11,295 dair blynedd yn ôl.

    f) Daewoo Nexia oedd yn costio £6,795 ddeuddeg mis yn ôl.

C8   Mae ffiol hynafol wedi cynyddu mewn gwerth er pan brynwyd hi bum mlynedd yn ôl am £220. Os yw ei gwerth wedi cynyddu 16% bob blwyddyn, am ba werth dylai ei pherchennog ei hyswirio heddiw?

C9   Mae prisiau eiddo mewn un ardal wedi gostwng 5% mewn gwerth bob blwyddyn. Cyfrifwch y gwerth disgwyliedig am yr eiddo canlynol heddiw:

    a) tŷ a brynwyd am £45,000, 3 blynedd yn ôl

    b) byngalo a brynwyd am £58,000, 4 blynedd yn ôl

    c) fflat a brynwyd am £52,000, chwe mis yn ôl

    d) ffatri a brynwyd am £350,000, 7 mlynedd yn ôl.

C10   Roedd peiriannau cwmni yn costio £3,500 bedair blynedd yn ôl. Mae'r dibrisiad wedi bod yn $2\frac{1}{2}$% bob blwyddyn. Beth yw gwerth ail-law y peiriannau heddiw?

C11   Mae bacteria yn cynyddu mewn nifer ar gyfradd gyfansawdd o 0.4% yr awr. Os oedd meithriniad o 50 o gelloedd i ddechrau faint o gelloedd fydd ar ôl:

    a) 4 awr

    b) 8 awr 30 munud

    c) 135 munud

    d) 2 ddiwrnod?

C12   Mae gan wlad boblogaeth o 16 miliwn, ac amcangyfrifir fod y cyfradd twf gyfansawdd yn 1.3%. Cyfrifwch beth fydd poblogaeth y wlad ymhen:

    a) 4 blynedd

    b) 20 mlynedd.

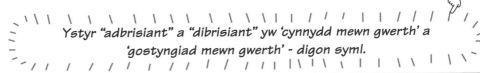

Ystyr "adbrisiant" a "dibrisiant" yw 'cynydd mewn gwerth' a 'gostyngiad mewn gwerth' - digon syml.

6.12 Cwestiynau ar Hafaliadau Cydamserol

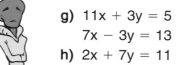

Er mwyn datrys hafaliadau cydamserol mae'n rhaid i chi gael gwared o x neu y yn gyntaf er mwyn cael hafaliad sy'n cynnwys un anhysbysyn yn unig.

C1 Ewch ati i ddileu un ai'r term x neu'r term y drwy adio neu dynnu'r parau o hafaliadau a, thrwy hyn, ddatrys yr hafaliadau:

a) $4x - y = 13$
$2x - y = 5$

b) $8x + 3y = 8$
$5x - 3y = 5$

c) $x + 3y = 10$
$2x - 3y = 2$

d) $8x + 6y = 2$
$2(x - 3y) = 3$

e) $x - 12y = 16$
$5x + 12y = 8$

f) $2(5x - y + 4) = 0$
$10x + y = 19$

g) $11x + 3y = 5$
$7x - 3y = 13$

h) $2x + 7y = 11$
$2x + 3y = 7$

i) $x + 6y = 5$
$3(x + 2y - 1) = 0$

C2 Aildrefnwch yr hafaliadau cyn eu datrys i roi x ac y

a) $3y - 4x = 10$
$4(x - \frac{y}{2} + 2) = 0$

b) $3x + y = 13$
$2y - 3x = 8$

c) $3y + 4x = 10$
$4x - 2y + 8 = 0$

d) $y + 1 = 3x$
$y - x = 3$

e) $y + x = 2$
$7 - \frac{1}{2}x + 1 = 0$

f) $y - 3 = 2x$
$y = x - 1$

g) $4y - 3x = 22$
$3x - 2y = -14$

h) $y + 2x = 5$
$y = x - 4$

i) $2y + x = 2$
$y + x + 1 = 0$

j) $3y + 2x = 19$
$2x + y = 1$

k) $9x - y = 12$
$4y - 9x = 6$

l) $6x + 2y = 5$
$3y - 6x = 15$

C3 Lluoswch un hafaliad â rhif cyn adio neu dynnu. Datryswch yr hafaliadau:

a) $3x + 2y = 12$
$2x + y = 7$

b) $5x - y = 17$
$2x + 3y = 0$

c) $x + 3y = 11$
$2x + 5y = 19$

d) $5x + 3y = 24$
$x + 5y = -4$

e) $3x + 2y = 3$
$2x + y = 23$

f) $4x + 2y = 8$
$x + 3y = 2$

g) $x + 14y = -2$
$2x + 3y = 21$

h) $3x + 2y = 21$
$2x - y = 7$

i) $4x - y = -2$
$3x - 2y = 1$

C4 Lluoswch y ddau hafaliad â rhif cyn adio neu dynnu, i ddatrys y canlynol:

a) $7y - 3x = 2$
$5y - 2x = 2$

b) $5x - 8y = 12$
$4x - 7y = 9$

c) $4x - 2y = -6$
$5x + 3y = 20$

d) $7x + 5y = 66$
$3x - 4y = 16$

e) $10x + 4y = 2$
$8x + 3y = 1$

f) $3x + 4y = 19$
$4x - 3y = -8$

C5 Defnyddiwch yr hafaliad llinol (yr un heb x^2) i ddarganfod mynegiad ar gyfer y. Yna, rhowch hwn yn yr hafaliad cwadratig (yr un â x^2), i ddatrys yr hafaliadau yma:

a) $y = x^2 + 2$
$y = x + 14$

b) $y = x^2 - 8$
$y = 3x + 10$

c) $y = 2x^2$
$y = x + 3$

d) $x + 5y = 30$
$x^2 + \frac{4}{5}x = y$

e) $y = 1 - 13x$
$y = 4x^2 + 4$

f) $y = 3(x^2 + 3)$
$14x + y = 1$

Yng nghwestiwn 5, mae gan x ddau werth posibl. Felly, mae gan y ddau werth posibl hefyd.

6.12 Cwestiynau ar Hafaliadau Cydamserol

Ysgrifennwch bob cam wrth i chi fynd yn eich blaen, e.e. "Lluosi A â 2". Wedyn, os byddwch yn gwneud camgymeriadau bydd yn haws gwirio i weld beth aeth o'i le.

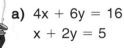

C6 Datryswch yr hafaliadau cydamserol canlynol:

a) $4x + 6y = 16$
$x + 2y = 5$

d) $y = x^2 - 2$
$y = 3x + 8$

g) $3y - 10x - 17 = 0$
$\frac{1}{3}y + 2x - 5 = 0$

b) $3x + 8y = 24$
$x + y = 3$

e) $y = 3x^2 - 10$
$13x - y = 14$

h) $\frac{x}{2} - 2y = 5$
$12y + x - 2 = 0$

c) $3y - 8x = 24$
$3y + 2x = 9$

f) $y + 2 = 2x^2$
$y + 3x = 0$

i) $x + y = \frac{1}{2}(y - x)$
$x + y = 2$

C7 Mae swm dau rif yn 15 a'r gwahaniaeth rhyngddynt yn 3. Ysgrifennwch bâr o hafaliadau cydamserol sy'n defnyddio x ac y, ac ewch ati i'w datrys.

C8 Mae swm dau rif yn 4 a'r gwahaniaeth rhyngddynt yn 12. Ysgrifennwch bâr o hafaliadau cydamserol sy'n defnyddio x ac y, ac ewch ati i'w datrys.

C9 Mae gan ffermwr y dewis o brynu 6 dafad a 5 mochyn am £430 neu 4 dafad a 10 mochyn am £500 mewn arwerthiant.
a) Os yw defaid yn costio £x a moch yn costio £y, ysgrifennwch beth yw'r ddau ddewis sydd ganddo fel pâr o hafaliadau cydamserol.
b) Datryswch hwy i ddarganfod x ac y.

C10 Mae chwe afal a phedwar oren yn costio £1.90, tra bo wyth afal a dau oren yn costio £1.80. Darganfyddwch gost afal a chost oren.

C11 Darganfyddwch werth x ac y ar gyfer pob un o'r petryalau canlynol, drwy ysgrifennu pâr o hafaliadau cydamserol ac yna eu datrys.

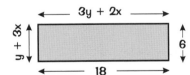
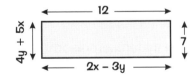
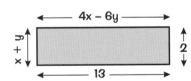

C12 Mae dau gwsmer yn mynd i mewn i siop i brynu llaeth a grawnfwyd brecwast. Mae Mrs Smith yn prynu 5 peint o laeth a 2 focs o rawnfwyd ac yn gwario £3.44. Mae Mr Brown yn prynu 4 peint o laeth a 3 bocs o rawnfwyd ac yn cael £6.03 o newid o bapur £10. Ysgrifennwch bâr o hafaliadau cydamserol a'u datrys i ddarganfod pris peint o laeth (l) a bocs o rawnfwyd (g), mewn ceiniogau.

C13 Mae tair beiro a saith pensil yn costio £1.31 tra bo wyth pensil a chwe beiro yn costio £1.96. Darganfyddwch faint mae'r naill a'r llall yn ei gostio.

C14 Datryswch $\frac{3(x - y)}{5} = x - 3y = x - 6$

ADRAN CHWECH - ALGEBRA

6.13 Cwestiynau ar Graffiau Hafaliadau Cydamserol

Mae hon yn ffordd hawdd o ddatrys hafaliadau cydamserol. Y cyfan sydd raid i chi ei wneud yw tynnu 2 graff llinell syth a darllen y gwerth lle maen nhw'n croesi. Fodd bynnag mae hyn yn golygu fod yn rhaid i chi wybod eich graffiau llinell syth yn dda.

C1 Mae'r hafaliadau cydamserol isod wedi eu plotio fel graffiau llinell syth. Ysgrifennwch ddatrysiadau'r hafaliadau cydamserol drwy edrych ar y graffiau. Yn olaf gwiriwch eich atebion drwy roi'r gwerthoedd yn yr hafaliadau gwreiddiol.

a) y + 2x = 9
  3y = x + 6

b) y + x = 1
  3y = x + 11

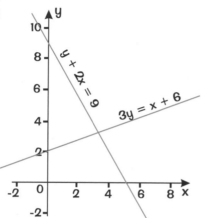

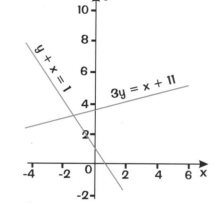

c) y = 2x − 13
  2y + x + 6 = 0

d) 2y = 8 − x
  2y = x − 2

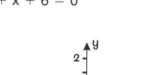

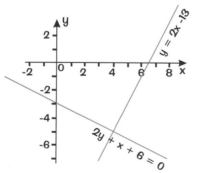

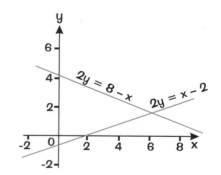

C2 Ar gyfer pob pâr o hafaliadau cydamserol isod:
  i) lluniwch a labelwch bâr o echelinau, gydag x o −3 i 7, ac y o −6 i 6
  ii) cwblhewch ddau dabl gwerthoedd
  iii) plotiwch ddau graff llinell syth ar eich echelinau, gan gofio labelu pob un
  iv) defnyddiwch eich graffiau i ddarganfod gwerthoedd x ac y
  v) gwiriwch eich atebion drwy roi'r gwerthoedd yn y ddau hafaliad.

a) y = x + 2
  y = 3x − 2

d) y = x + 3
  y = 3x − 1

g) y = x − 1
  2y = x + 1

b) y = 2x − 2
  2y = x + 8

e) y = 2x + 3
  y = x − 1

h) y + 2 = 4x
  y + x = 3

c) y = x + 1
  y = 2x − 2

f) y = 2 − x
  y = ½x − 1

i) y + 2 = x
  y = ½x + 1

ADRAN CHWECH - ALGEBRA